KB148809

사장님!
얘기 좀 합시다!

13년차 직장인,
사표를 던지다

사장님! 애기 좀 합시다!

초판인쇄 2017년 9월 5일
초판발행 2017년 9월 11일

지은이 조연주
발행인 오세형

책임편집 오자경
교정교열 박진영
진행 김지연
디자인 한영애

제작지원 TOPIK KOREA

펴낸곳 (주)도서출판 참
등록일자 2014년 10월 12일
등록번호 제319-2014-52호
주소 서울시 동작구 사당로 188
전화 도서내용문의 (02) 6294-5742
도서주문문의 (02) 6294-5743
팩스 02)6294-5747
블로그 blog.naver.com/cham_books
이메일 cham_books@naver.com

ISBN 979-11-88572-00-7 (03810)
값 13,000원

13년차 직장인,
사표를 던지다

사장님! 얘기 좀 합시다!

조연주 지음

도서출판 참

이 글을 쓰기까지 고민이 많았다.

내가 겪은 현실을 글로 옮기는 것은 생각보다 큰 용기가 필요했다.

전이나 지금이나 취업하기는 힘들다. 하지만 어렵게 입사한 많은 직장인들이 가슴에 사표를 품고 다닌다.

이 글을 쓰는 가장 큰 목적은 동병상련이다.

나는 책을 쓸 만큼 성공한 사람도 아니고 베테랑 전문가도 아니다.

단지 내 얘기를 쓰는 지극히 평범한 사람이다.

이 시대 직장인들과 함께 공감하고 서로 위로해주는 이야기를 쓰고 싶었다.

퇴근 후 만난 친구에게 오늘 하루 있었던 일들을 쏟아내며 스트레스를 푸는 것처럼 그렇게 한바탕 우리끼리 떠들고 싶었다.

퇴사를 고민하는 직장인들을 위해 '퇴사학교'가 생기는 시대다. 그곳은 퇴사를 부추기는 곳이 아니다.

이제는 퇴사도 공부와 준비를 해야 하고 원하는 것이 무엇인지 뒤늦게 고민하는 어른들의 학교다.

도대체 왜 퇴사를 꿈꾸는가?

나는 13년 동안 총 네 번의 퇴사를 했다. 한 달 13일 동안 근무하고 퇴사한 회사부터 8년 동안 다닌 회사까지 다양했다. 그 중 내가 원해 퇴사한 곳도 있고 자의반 타의반으로 해고를 당한 곳도 있다.

합법적인 방법으로 직원을 해고하는 회사도 있겠지만 그렇지 않은 회사도 많다.

내 의지와 상관없이 퇴사를 권고받는다면 어떤 기분일까?

회사는 내가 생각하는 것 이상으로 훨씬 냉정하고 영리했다.

절대로 내 편이 아니다.

첫 직장에 다닐 때를 제외하고 아침 출근길은 항상 머릿속이 복잡했다.

아르바이트부터 직장생활까지 나는 단 한 번도 지각이나 무단결근을 한 적이 없다. 내가 가장 자신있게 내세울 수 있는 부분이다. 하지만 그것이 미련함이 되기도 했다.

폭설이 내리고 태풍이 와도 맨 먼저 출근했고 장염에 걸려 응급실에서 링거를 맞다가도 출근 시간이 되면 거의 탈진 상태에서도 출근했다. 학창시절부터 아파도 학교에 가서 아프라고 나를 학교로 무조건 보내셨던 아빠의 강한 교육열 때문에 직장생활도 당연히 개근해야 한다는 강박관념이 내게 있었나보다.

하루 정도 내가 없어도 회사는 잘 돌아가는데 나 혼자 불안해했다. 아플 때는 적당히 쉬고 남들처럼 휴가도 썼다면 회사가 나를 배신했을 때 덜 억울했을 것이다. 하지만 모든 것은 내 선택이었고 이미 지난 일이다.

'좋은 상사를 만나는 것은 행운이고 좋은 부하를 만나는 것은 기적이다'라는 말이 있다.

나는 많은 상사와 부하직원을 만났지만 유난히 독특한 사장님을 많이 만났다.

자식처럼 나를 아껴주던 첫 직장 사장님부터 아빠 친구분의 회사에 잠깐 다닌 적도 있고 재산이 엄청나게 많던 사장님과 술 없이 못사는 기독교인 사장님까지.

이 책에서 술 없이는 못사는 기독교인 사장님 얘기가 많은 부분을 차지한다.

어느 날 갑자기 백수로 놀던 사장님의 아들이 회사에 나오기 시작했고 나는 금수저에 밀려 해고당했다.

나와 같은 흙수저 청춘들로부터 위로받고 싶기도 하다.

항상 힘들고 불행하다고 생각했으면서 일은 왜 그렇게 열심히 했는지 모르겠다.

왜 그토록 미련했을까?

흙수저에 가진 것도 없으니 생계를 위해 일했던 시간이 대부분이었다.

단 한 번도 제대로 쉼표를 찍어보지 못하고 계속 회사생활을 했다. 만약 더 어렸을 때 스스로 제대로 쉼표를 찍어보고 나를 되돌아보는 시간을 가졌다면 어땠을지 후회를 많이 했다.

분명히 말하지만 나는 퇴사를 독려하지 않는다. 오히려 버틸 수 있을 때까지 버티라고 말하는 편이다.

화끈하게 때려치우고 나와 하고 싶은 거 하라고 말해주는 선배는 아니다. 내가 그러지 못했는데 누구에게 그런 조언을 하겠는가.

소심하고 새가슴인 나는 어찌어찌해 다른 세상에 나와 있지만 직장에서 버티는 힘도 필요하다.

이 책에서는 그동안 회사가 내게 가르쳐준 것들과 나의 좌충우돌 직장생활 경험담을 담았다.

이 책을 읽으며 그저 그런 오늘이 조금 마음 가벼워지는 하루가 되길 바란다.

오늘도 조직의 쓴맛을 경험하고 있는 많은 직장인들에게 잘 버텼다며 등을 토닥여 주고 싶다.

목 차

제2장 나는 직장인이다

제3장 사장님! 얘기 좀 합시다!

제4장 소화불량 직장인 후배들에게

제5장 직장보다 직업

처음 해보는 퇴사도 아닌데 마지막 출근길 기분이 묘했다. 한동안 아니 어쩌면 다시 느끼지 못할 것만 같은 직장생활의 완전히 마지막 느낌이었다. 출근길에 수없이 속 썩이고 항상 위태롭고 에어컨이 안 되어 여름만 되면 찜질방이 되는 똥차와도 작별이었다. 이유가 어찌됐든 내 손때가 묻은 것들과의 작별은 시원하진 않았지만 오늘 하루도 무사하기를 바라며 출근길에 올랐다.

마지막 출근날도 맨 먼저 출근했다. 보안카드와 자동차 키를 사장님 책상에 올려놓고 남은 짐을 싸기 시작했다. 두세 번 집으로 짐을 옮겼는데도 남아 있었다. 짐을 싸면서 '오래 다니기는 했구나' 생각했다. 오랜 시간을 보낸 만큼 사소하고 작은 것까지 내방처럼 내 물건으로 가득했다. 정말 마지막이어서 하나도 남김없이 싸야 했는데 쇼핑백만으로는 부족했다. 드라마나 영화 속 퇴사 장면에서는 어김없이 상자 한가득 짐을 들고 나오는 것이 이해가 안됐는데 나도 상자가 필요했다. 인사도 드릴 겸 건물 내 문구점으로 갔다.

상자를 사고 마지막 출근이라고 인사드렸다. 모두 왜 그만 두냐고 의아해하셨다. 대답은 미소로 대신하고 나왔다. 사무실로 가는 길에 그동안 정들었던 곳들이 눈에 들어왔다. 죽집, 빵집, 떡집, 편의점, 은행, 카레가게, 분식집, 콩나물국밥집까지 한 번 쭉 둘러봤다. 건물 안에 다시 들어올 일이 없을 것 같아 추억의 장소들을 눈에 담았다. 사무실로 돌아와 짐을 싸고 내 자리를 청소했다.

'나'라는 사람이 원래 없었던 것처럼 깨끗이 비웠다.

끝까지 그만두지 말라고 붙잡았던 상사분과 아침에 차 한 잔했다. 내가 많이 의지했고 도움받았던 분이다. 계속 함께 하자고 하셨는데 이제 자의 반 타의 반 해고당했으니 뭐라 하실 말씀이 없으셨나보다. 평소와 달리 조용히 몇 마디 나눴다. 서로 말하기 어색해 잘 지내라는 말도 못하고 애꿎은 일 얘기만 했다.

모든 정리가 끝나고 평소보다 일찍 퇴근하게 됐다. 사장님이 집까지 태워주겠다고 했다. 조금 시간이 걸리더라도 버스타고 가겠다고 말씀드리고 거절했다. 그것이 마음이 편했고 나도 혼자 생각들을 정리하면서 가고 싶었다. 어쨌든 오랜 시간 몸담았던 곳을 떠나는데 이런저런 생각이 들었고 그 기분도 충분히 느껴보려고 했다.

사장님은 막무가내로 꼭 데려다줘야겠다며 내 짐을 차에 실었다. 마지막 퇴근길까지 불편하게 가야 할 생각을 하니 답답했다.

사장님과 단둘이 차타고 가면서 창문을 열고 창밖만 바라봤다. 유난히 맑고 햇살도 좋은 날이었다. 어색한 침묵을 깨며 사장님이 먼저 물었다.

"조 대리, 여기 있으면서 좋았던 기억보다 안 좋았던 기억밖에 없지?"

"오래 다녔는데 어떻게 안 좋은 기억만 있겠어요."

또 침묵이 이어졌다. 사장님은 또 뭔가 말하려는 것 같았는데 쉽게 입을 떼지 못했다. 한참을 달리다 교통신호에 걸렸다.

"단 한 번도 지각, 결근 없이 성실히 근무해줘서 고마워. 내가 그런 조 대리만 믿고 너무 마음 편히 놀러만 다닌 것 같아."

"….."

나는 대꾸하지 않았다.

"요즘 며칠 잠을 못 잤어. 항상 묵묵히 그 자리에서 일해주던 조 대리가 없을 거라고 생각하니 불안하더라고. 우리 아들은 아직 경험도 없고 저러다 삐쳐서 또 일 안한다고 할까봐 사실 걱정돼. 아들과 일해보니 꼭 좋은 것만은 아닌 것 같아. 이제 마음잡고 열심히 회사 키워야지. 2~3년 지나 한 번 놀러와. 그때까지 내가 회사 키워놓을게."

눈물이 날 것 같아 고개를 돌렸다.

내가 열심히 한 것은 알아주는 것 같아 뭔지 모를 감정이 북받쳐 올랐다.

회사 뒤 건물에서 불이 나 뛰쳐나갔던 일, 폭설이 내리고 태풍이 불어도 맨 먼저 출근했던 날들, 고속도로에서 달리던 차가 멈춰 공포에 떨었던 일, 하수도가 터져 사무실에 물이 차 혼자 물을 퍼냈던 일, 여러 날들의 모습이 파노라마처럼 머릿속을 스쳤다.

평일 이른 오후여서인지 차가 안 막히고 일찍 도착했다. 밖에 다녀보지 못했던 평일 시간이어서 신기했다. 집 앞에 도착해 짐을 내리고 인사드렸다. 사장님은 뒷좌석에서 뭔가 꺼내면서 그동안 수고했다고 말했다.

배 한 상자였다. 명절을 앞두고 해고시킨 것이 마음에 걸렸나보다. 사장님은 고맙고 잘 지내라는 말로, 나는 담담히 평소처럼 "안녕히 가세요."라는 말로 인사하고 헤어졌다.

한가득 짐을 안고 집에 도착했다. 다행히 아빠는 안계셨다. 퇴사한다고 말씀드리지 못했다. 아빠는 사람이 쉬는 모습을 못 보는 성격이다. 또 먹고 사는 일을 걱정하시면 내가 빨리 취업해야 하는데 이제는 그러기 싫었다. 나도 그동안 돌보지 못했던 내 건강을 챙기고 생각할 시간을 갖고 싶었다. 그러려면 아빠께 나중에 말씀드리는 것이 좋겠다고 생각했다.

짐을 모두 빼왔는데도 실감이 안 났다. 시간이 좀 지나 출근을 안 하고 평일에 쉬어봐야 실감날 것 같았다.

퇴사 후 가장 큰 변화는 짧은 시간 안에 건강을 되찾은 것이다. 눈밑 떨림은 언제 그랬냐는 듯 한순간 사라졌고 무섭도록 많이 빠지던 머리카락도 전처럼 거의 빠지지 않았다. 항상 속이 더부룩하고 답답했는데 이제 편안하다. 한숨 쉬는 일도 없어졌다. 피부도 점점 맑아지고 표정도 밝아지면서 얼굴이 좋아졌다는 소리를 많이 들었다. 좀비 같던 모습이 사람다워졌다.

혹시 전화하면 꼭 받아 일을 가르쳐줘야 한다고 신신당부하던 사장님과 회사에서는 단 한 통의 전화도 없었다. 덕분에 목소리를 들을 일도, 다시 얼굴 볼 일도 없었다.

중요한 것은 당신이 어떻게 시작했는가가 아니라
어떻게 끝내는가이다. _**앤드류 매튜스**

이제 나는 지금까지 제대로 돌보지 못했던 나의 몸과 마음을 챙기기로 했다.

제1장

마지막 직장

첫 인상은 절대로 두 번 기회를 주지 않는다. _**찰스 스윈돌**

1. 사장님은 부재중

내 마지막 직장은 이름만 대면 웬만한 사람은 아는 나름대로 건실한 회사다. 첫 출근 날 아침 나는 평소대로 일찍 집을 나섰다. 출근시간보다 20분 일찍 도착했다. 회사 문이 열려 있지 않았다.

출근시간 10분이 지나고 20분이 지나도 아무도 오지 않았다. 뭐가 잘못된 것인지 불안해질 때쯤 옆회사 직원분이 다가왔다. 어디 찾아왔냐고 물었다. 옆회사에 오늘 첫 출근하는 사람인데 문이 잠겨있어 기다리는 중이라고 했다. 그러고 서있지 말고 자기네 회사에 들어와 기다리라고 하셨다. 기다리는 동안 차를 한 잔 타주셨고 내가 다니게 될 회사에 대해 여러 얘기를 들려주셨다.

우선 문은 항상 늦게 열리고 직원들은 남녀 가리지 않고 담배를 너무 많이 피운다고 했다. 옆에서 생활하면서 스트레스가 많으셨는지 내게 그런 얘기들을 하셨다. 그때는 처음 만난 내게 그것도 첫 출근하는 사람에게 회사에 대해 왜 저렇게 험담하는지 이해가 안 되었지만 그 얘기를 이해하는 데는 한 시간도 채 걸리지 않았다.

드디어 직원이 나타났다. 출근시간이 한참 지났는데도 여유있게 걸어와 문을 열었다. 내게 미안하다는 말 한마디 없었다. 출근하는 여자의 행색이라고 보기에는 힘든 옷차림에 술냄새가 진동했다. 자연스럽게 담배를 물더니 내게 담배를 권했다. 담배를 안 피운다고 했다.

이어서 다른 직원들이 출근하기 시작했다. 나는 누군가 들어올 때마다 인사했지만 아무도 인사를 안 받아주고 직원들끼리도 인사를 안 했다. 분위기가 이상했다.

점심 먹는 동안 내가 여길 다녀야 하는지 고민했다. 사장님은 언제 나오시는지 물었다. 직원들끼리 쳐다만 보고 누구도 선뜻 말을 안 했다. 왠지 모두 눈치 보는 듯 했다. 결국 몇 번의 눈빛을 보낸 끝에 한 직원이 입을 열었다.

"사장님은 골프 마니아세요. 매주 월요일은 회사에 아예 안 나오시고요. 그러고 보니 딱 오늘이네요."

이런 회사를 다녀야 하나 말아야 하나. 하지만 이 쓸데없는 책임감이 박차고 나가지 못하게 했다. 겨우 몇 시간 앉아 있었는데 이 회사를 다니지 않겠다고 나가면 책임감 없는 사람으로 보일 것 같았다. 당시 나는 너무 미련했다.

내가 성공한 것은 항상 반드시 15분 전에 도착한 덕분이다. _**호레이쇼 넬슨**

결국 사장님이 안 계시는 첫 날을 보냈다.

사장님은 어떤 분일지 궁금했는데 회사 자체로 이미 파악되었다. 그럼에도 내가 이 회사에 계속 나갔던 것은 먹고 사는 일이 급하고 중요했기 때문이다.

2. 인수인계

이튿날은 내게 인수인계 해줘야하는 A씨의 마지막 출근 날이었다. 이틀 동안 일을 모두 배우라는 것도 황당했는데 그 이틀 모두 지각한 그 직원은 볼일이 있다며 점심먹고 퇴근해버렸다.

재미있는 것은 볼일이 있다며 일찍 퇴근한 사람이 그날 저녁 회식에 나타난 것이었다. 마지막 근무 날 제대로 일처리도 안하고 도망치듯 나갔던 사람이 회식자리에는 한없이 밝은 얼굴로 나타났으니 시트콤이 따로 없었다.

다음 날 A씨는 못 다한 인수인계를 위해 출근하기로 했지만 결국 나오지 않았다. 전화해도 받지 않았다. 몇 번 더 전화했지만 나중에는 아예 전원을 꺼버렸다. 사장님의 전화까지 무시했다. 모두 이럴 줄 알았다는 듯이 말했다. 당장 발등에 불이 떨어졌다. 다른 생각할 겨를 없이 본격적으로 업무에 돌입해야 했다.

인수인계는 고사하고 일 자체가 정리가 안 되어 있어 이어나가기도 힘들었다. 이러고도 어떻게 회사가 아무 탈 없이 돌아가는지 신기했다. 한숨이 절로 나왔다. 다른 직원들이 도와주는 데는 한계가 있었다. 끝없이 나오는 미결 서류들과 아무리 찾아도 나오지 않는 중요한 서류들.

어쩔 수 없이 나는 400여 개 서류를 모두 꺼냈다. '가나다'순으로 분류해 정리하고 모르는 부분은 물어보려고 체크해뒀다. 며칠 동안 그렇게 서류 분류작업만 했다. 퇴근시간은 생각보다 빨리 왔고 서류는 줄어들

기미가 안 보였다.

몇 개월 후 회사 일에 어느 정도 적응해갈 즈음 부장님이 우연히 내 전임자를 길에서 만났다고 했다. 일부러 전화를 안 받은 것이 아니다, 몸이 아팠다, 사정이 있었다는 핑계를 늘어놨나보다.

부장님이 별 반응이 없자 그때서야 솔직한 마음을 털어놨다. 자기 자리에 새로 들어온 내가 자신보다 일을 잘하는 것이 싫었다고 했다. 그래서 일부러 회사도 골탕먹이고 후임자가 힘들어 회사를 떠나면 자신을 다시 찾을 것으로 생각했나보다. A씨처럼 무책임한 사람에게는 절대로 일어날 수 없는 일이다.

인수인계의 중요성

회사도 인수인계의 중요성을 알고 후임자가 적응하는 것을 당연시하지 말자.
직원 한 명이 나가고 그 자리에 새로 들어온 직원은 모르는 것이 많다. 당연하다. 인수인계가 제대로 이루어지지 않으면 결국 다음 사람이 고생하게 된다.
아무리 좋게 생각하려고 해도 '뭐 이런 경우가 있나'생각에 나도 도망치고 싶었다. '나 홀로' 인수인계는 한 달 넘게 걸렸다. 이제 좀 됐다 싶으면 계속 새로 터져 나오는 일 때문에 지루하지 않을 정도였다. 다음에는 또 어떤 일이 터질지 오히려 기대가 됐다. 나도 마음을 비우기 시작한 것이다. 어차피 다시 나타나 인수인계 해줄 사람도 아니고 방법이 없었다.

나는 내 이름을 걸고 일하는 한 내 권한을 양보도 안하는 대신
다른 이에게 전가도 안한다. _故정주영 회장

퇴사는 끝이 아니다. 인수인계라는 마지막 절차까지 끝내야 한다. 아니 인수인계는 퇴사 후에도 이어진다. 떠나는 사람의 평판이 인수인계로 결정되기도 한다. 최대한 자세히 꼼꼼히 전달해야 한다. 후임자의 전화를 잘 받아주는 것도 의무다. 다시 연락 받는 일 없도록 마무리한다면 더 좋다.
혹시 다시 전화를 받게 되면'역시 나 없이 안 되는구나'라고 착각하지 않길 바란다. 후임자로부터 전화를 받았다는 것은 업무 전달이 제대로 되지 않았다는 뜻이다.

책임감 없고 미숙한 사람으로 낙인찍힐 수 있으니 도망치듯 떠나지 말자.
세상은 생각보다 좁다. 언제 어디서 어떻게 인연이 닿아 다시 만날지 모른다. 그러니 최대한 좋은 인상을 남기고 떠나는 것이 본인에게 좋다.

3. 기독교계 기업

회사 정면에 눈에 띄는 큰 액자가 있었다. "네 시작은 미약하였으나 네 훗날은 심히 창대하리라"라는 성경 말씀이었다. 그 옆으로 교회 달력, 사장님 책상에는 성경책이 있었다.

누가 봐도 신앙심 깊은 기독교인이라는 생각이 들게 되는 모습이다. 달력에 쓰인 교회 목사님 성함이 사장님 성함과 한 글자만 다르고 같았다. 혹시 몰라 여쭤봤다.

사장님의 친형님께서 목사님이시고 사장님은 안수집사님, 사장님 아들의 이름은 성경에 나오는 어느 아들의 이름이었다. 완벽한 기독교 집안이다. 편견이 무섭다는 것을 알면서도 편견으로부터 자유롭지 못했다. 이렇게 신앙심 깊은 사람은 뭔가 다를 거라고 생각했다. 그것은 큰 착각이었고 이제 종교와 사람은 별개라고 생각한다.

사장님은 첫 회식자리에서 처음 뵈었다. 사장님은 카리스마와 거리가 멀어보였다. 키가 매우 작고 부드러운 인상에 평범했다. 매주 월요일은 아예 회사에 나오지 않으셨다. 골프 모임이 있었다. 무엇보다 사장님에게는 골프와 술이 중요했다.

어느 날 해가 서쪽에서 떴는지 사장님이 나만큼 일찍 출근하셨다. 웬

일인지 궁금했다.

지방 출장가신 목사 형님 대신 안수집사님인 사장님께서 새벽예배를 인도하셨다고 했다.

푸하하!

사장님의 대답을 듣고 나도 모르게 폭소가 터졌다. 늘 술에 취해 계시는 안수집사님의 새벽예배라니. 너무 크게 웃어 죄송했다.

나도 교회를 다니지만 온전히 성경 말씀대로 살아가진 못한다. 신앙심이 매우 깊다고 자신 있게 말하기도 어렵다. 그리고 술 하나로 종교나 사람에 대해 판단할 수는 없다.

몸을 가누지 못할 정도로 과음하고 항상 후회하는 사장님을 볼 때마다 안타까웠다. 기독교인이 술마셨다고 무조건 잘못이라고 생각하진 않는다. 특히 사장님은 사업상 다양한 사람들을 만나 함께 식사하는 자리도 많았는데 술을 곁들이는 데 대해서는 별 문제되지 않는다고 생각한다. 다만 과음으로 다음 날 회사에 피해를 주는 일이 반복되면서 직원들이 힘들었다.

술과 기독교

한 사람이 당신은 '취했소'하면 조심하라.
두 사람이 그렇게 말하면 마시는 속도를 늦추고
세 사람이 그렇게 말하면 자리에 누워라.

아침 늦게 일어나고 낮에 술 마시며 저녁에 쓸데없는 잡담을 하고 있다면
인생을 쉽게 헛되게 만들 수 있다.

악마가 인간들을 찾아다니기 바쁠 때는 대신 술을 보낸다.
알코올은 육체와 정신을 하나로 만든다. _**「탈무드」 술에 관한 명언 중에서**

종교를 자신 있게 내세우려면 행동도 함께 지키길 바란다. 에베소서 5장 18절에'술취하지 말라. 이것은 방탕한 것이니 오직 성령으로 충만함을 받으라.'라는 성경구절이 있다. 사장님 자리에 있던 성경책에서 찾아낸 말씀이다.

물론 금주가 모든 기독교인이 따르는 신앙 형태는 아니다. 한쪽은 금주를 주장하고 다른 쪽은 금주 전통을 깨고 비기독교인들과 같이 술을 마시고 취하기도 한다. 다만 술을 마실 경우, 절제하면서 마시는 절주를 택하는 것이 좋다고 생각한다. 술도 음식의 하나라는 말이 있듯이 필요할 때가 있는 것은 당연하다. 얼마나 마시느냐의 기준이 있으면 좋겠다.

식습관처럼 적절한 음주습관을 만들어 내가 마실 수 있는 양을 정해놓자. 술을 마시면 알코올작용 때문에 몸이 이완되고 기분이 좋아진다고 한다. 그러나 여기서 절제하지 못하고 더 진행되면 감정이 폭발하고 평소의 속마음이 말로 터져나온다. 내 의지와 상관없는 행동이 나오는 것이다. 자신을 지킬 수 있고 술의 즐거움을 건강하게 누릴 수 있는 선을 갖고 있어야 한다.

4. 불은 짬뽕과 선입견

사장님이 골프치러 가시는 월요일 오전은 생각만큼 바쁘지 않았다. 오후에 비가 온다는 일기예보 때문인지 얼큰한 짬뽕이 당겼다. 점심 메뉴로 짬뽕을 사왔다. 한 젓가락 먹고 다시 젓가락을 드는 순간 전화벨이 울렸다. 평소 골프치러 가면 전화 한 통 없던 사장님의 전화였다.

앞뒤 말없이 지금 친구가 회사로 가고 있으니 달라는 물건을 주면 된다고 하셨다. 전화를 끊기도 전에 사장님 친구분이 도착했다. 드려야 하는 물건은 자동차부품이었는데 당연히 사무실에 없는 물건이었다.

사장님 친구분이 사장님께 전화를 걸었다. 골프치는 중이어서 안 받으실 거라는 예상과 달리 전화를 받으셨다. 사무실에 없다는데 어떡해야 하는지 묻는 친구분께 사장님은 나를 바꾸라고 하셨다. 내가 전화를 받자

"조 대리가 내 친구와 나가서 함께 물건 골라줘. 아마 그거 파는 곳이 많지 않아 여러 곳에 가봐야 할 거야. 내 친구가 운전하고 가게에 도착하면 조 대리가 내려서 그 부품이 있는지 없는지 물어보면 좀 빠를 거 아니야. 그리고 밥먹을 만한 곳도 소개 좀 해줘. 거기까지 갔는데 그냥 돌려보내긴 미안하잖아."

그 자동차부품은 나도 뭔지 모르는 부품이고 그걸 굳이 왜 내가 함께

가서 골라드려야 하는지 이해가 되지 않았다. 말도 안 되는 개인적인 심부름을 당연한 듯 지시했다. 어쩔 수 없이 사장님 친구분과 부품 사러 여기저기 돌아다녔고 식사하실 만한 곳을 소개해드렸지만 점심시간이 한참 지나 그냥 돌아간다고 하셨다.

다시 회사에 돌아오니 50분이 지나 있었다. 한 젓가락 먹고 그대로 놔둔 짬뽕은 면이 국물을 모두 흡수했는지 팅팅 불어난 면만 남아 있었다.

그날 이후 나는 짬뽕 먹을 때 누가 건드리면 굉장히 예민하다. 지금 못 먹으면 짬뽕이 어떻게 되는지 아냐고 버럭 화내기도 한다. 짬뽕 먹는 순간은 1분 1초가 소중하다.

사장님, 먹을 때만큼은 건드리지 마세요.

내 마음을 아는지 모르는지 사장님의 개인적인 심부름은 날이 갈수록 심해졌다.

아들이 영어공부를 해야 하니 전자사전과 태블릿을 알아봐달라고 했다. 손이 없나, 발이 없나. 아들이 20대 중반의 어엿한 성인인데 이게 웬 말인가.

참지 못한 나는 처음으로 반기를 들었다.

"사장님, 개인 취향도 있을 것이고 제 마음대로 결정하고 주문하는 건 아닌 것 같습니다."

"됐어. 괜찮으니까 조 대리 마음에 드는 걸로 주문해."

사장님은 막무가내였다.

"에라 모르겠다, 미친 척하자, 마음에 안 들면 바꾸겠지. 그럼 다시는 안 시키겠지."라는 마음으로 남자가 좋아할 리 없는 핑크색으로 주문해 버렸다. 사은품도 모두 핑크색으로 결정했다.

며칠 후 '물건'이 도착했다. 살짝 떨리는 마음으로 사장님 책상에 올려놓았다. 사장님은 사무실에 들러 택배상자를 갖고 나가셨다. 내 앞에서 풀어봐야 반응을 볼 수 있는데… 심장이 쫄깃해졌다.

1시간 후 사장님의 전화가 왔다. 두근거렸다.

"조 대리, 수고했어. 아들이 무척 마음에 들어 하네!"

낭패다. 남자도 핑크색을 좋아할 수 있는 건가.

사장님은 항상 내 선입견을 깨주시는 분이다. 여러 모로.

5. 회사를 지킨 영웅

맑고 쾌청한 10월 초의 가을, 평소와 다름없는 날이었다. 바람쐬러 놀러 가신 사장님은 나오지 않으셨다. 이상할 만큼 한가하고 조용했다. 창밖을 바라보고 있자니 이렇게 좋은날 회사에 있는 것이 억울했다. 평일에 마음껏 놀러다니는 사장님도 부러웠고 사장님이 안계시면 자유롭게 일찍 퇴근하는 부장님도 부러웠다. 상사들은 차례대로 퇴근했고 나도 퇴근 20분을 남겨두고 있었다.

갑자기 건물관리 직원이 헐레벌떡 뛰어 들어오셨다.

"지금 건물 뒤에서 불났어! 빨리 나와요!!!"

깜짝 놀라 급히 가방을 챙겨 들었다. 나가려던 찰나, 사장님께 보고해야 한다는 생각이 들었다. 그 와중에도 나는 왜 그런 생각을 했는지 모르겠다. 사무실 문에 서서 나가지도 들어오지도 못하고 휴대폰으로 사장님께 전화했다.

"사장님! 지금 저 혼자 있는데 회사 건물 뒤에서 불이 나 빨리 피해야 할 것 같아요!"

예상과 다른 뜻밖의 대답이 들려왔다.

"아니, 조 대리! 회사는 어떡하고 나간다는 거야? 우리 사무실은 아무 문제없는 거야?"

그 순간 나가려던 발걸음이 굳어버렸다.'제가 남아 회사를 지킬 테니 걱정마세요.'라고 대답해야 하는 건가. 그때 건물관리인이 다시 뛰어 들어오셨다. 이미 우리 건물까지 연기로 뒤덮였으니 빨리 나오라고 소리치셨다. 결론을 내렸다. 나는 회사를 지킨 영웅이 될 생각은 없었다.

검은 연기가 가득한 곳을 겨우 빠져나와 화재현장을 잠시 보게 됐다. 무서웠다. 빠른 속도로 번지는 불이 내가 있던 사무실까지 왔다면 어떻게 됐을지 생각하니 끔찍했다. 정류장에 도착해 아무 버스나 탔다. 빨리 그 주변에서 벗어나고 싶었다.

집에 도착했다. 뭔가 타는 것 같은 이상한 냄새가 나 급히 샤워했다. 냄새를 지우고 싶었다. 저녁을 먹지 않고 누웠다. 머리가 아픈 건지 복잡한 건지 뭔가 계속 개운치 않았다. 이리저리 뒤척이다가 밤을 샜다.

일어나 어김없이 출근 준비를 했고 아침밥 한 술을 억지로 뜨려던 순간 TV에서 사건사고 소식을 전하는 앵커의 목소리가 들렸다.

“어제 저녁 ㅇㅇ시, 아파트 모델하우스에서 불이 나 모델하우스가 전소되고 일대 주택과 상가건물에 정전사태가 빚어졌습니다. 밤사이 사건 사고, ㅇㅇㅇ기자가 보도합니다.”

“3층짜리 아파트 모델하우스가 머리 위로 시커먼 연기를 토해냅니다. 목조 가건물인 모델하우스는 순식간 주저앉았고 거센 열기에 인근 상가까지 피해를 입었습니다.”

연이어 피해를 입은 근처 상인들의 인터뷰도 이어졌다.

“열기가 워낙 뜨거워 건너편 저희 상가 유리창까지 모두 깨질 정도로…”

지금도 당시 화재사진을 보면 가슴이 떨린다. 만약 뉴스에 나왔던, 피해입은 상인들이나 다친 사람들처럼 내가 회사를 지키다가 봉변을 당하고 인터뷰했다면 어떻게 됐을까? 영웅이 됐을까? 사장님께서 회사를 지키기 위해 노력했다고 칭찬해주셨을까? 짐작컨대 전혀 그렇지 않았을 것이다. 그런 영웅이 되기도 싫고 그런 칭찬은 받고 싶지도 않다. 생각만 해도 끔찍하다.

나는 살려고 발버둥치는 여러 생명 중 하나로 이 세상에 살고 있다.
생명에 대해 생각할 때 어느 생명체도 나와 똑같이 살려는 의지를
갖고 있다.
다른 모든 생명도 나의 생명과 같으며 신비한 가치를 가졌고
따라서 존중하는 의무를 느낀다.
선의 근본은 생명을 존중하고 사랑하고 보호하고 높이는 데 있으며
이와 반대로 악은 생명을 죽이고 해치고 올바른 성장을 막는 것을
뜻한다. _**알베르트 슈바이처**

큰 사건이긴 했나 보다. 출근하니 여기저기서 모두 화재얘기를 하고 있었다. 회사 앞에 도착하자 옆건물 회사 분들이 내게 아무 일 없었는지 물으셨다. 이렇게 오다가다 가끔 인사만 하는 분들도 뉴스에서 화재소식을 듣고 옆건물 직원들이 다친 건 아닌지 생각했다는데 사장님의 말씀이 자꾸 생각났다. 회사는 어쩌고 그냥 퇴근하는지, 회사는 괜찮은지만 물었던 사장님은 과연 나를 뭘로 생각하셨던 걸까?

사장님은 오늘도 출근하지 않으셨다. 오전시간이 한참 지난 후 전화가 왔다. 그리고 또 한 번 내 가슴에 비수를 꽂으셨다.

"그런데 어제 화재가 꽤 크게 났나 보던데? 어휴, 회사에 없었길 다행이다. 회사는 별일 없지?"

최소한의 인간적인 존중도 못 받고 있다는 생각이 들었다. 어떤 상황에서도 회사를 먼저 생각하고 회사를 지키고 회사만 위해 살아야 하는 것처럼 강요하는 태도에는 폭력성이 있다고 생각했다.

나는 잠시 멈칫했지만 회사가 어떻게 되든 말든 화재현장에서 뛰쳐나온 것은 정말 가장 잘한 일이라고 생각한다. 잠시만 더 그곳에 갇혀 있었다면 트라우마가 생겼을지도 모른다. 한동안 TV에 나오는 화재현장 모습을 제대로 쳐다보지 못했다. 자꾸 그날 생각이 떠올랐다.

충성심과 애사심

회사에는 얼마나 충성해야 할까? 회사에 대한 충성심은 무엇일까?
많은 부분이 있겠지만 최고경영자에 대한 충성심도 있을 것이다. 나도 이왕 다니는 회사, 배울 점 많은 존경하는 상사에게 충성하고 열심히 다니고 싶었다. 서로 존중하며 서로의 말에 귀기울여주는 조직문화를 꿈꿨다. 대부분의 회사가 그렇지 못 하다는 것은 알고 있다. 아마 그래서 더 견뎠는지도 모른다. 이 회사만 그런 것이 아니라 어딜 가도 비슷하다는 생각에 오래 견뎠다.

우리는 분명히 회사에서 일한 대가로 많은 것을 받는다. 기본적으로 급여와 여러 복지혜택도 받고 있다. 그런 만큼 내가 맡은 업무에 대해 책임질 수 있어야 하고 최선을 다해야 한다. 이 부분에 대해서는 토를 달 생각이 전혀 없다. 맞는 말이다. 하지만 회사에 목숨은 바치지 말자. 그 귀한 목숨을 수많은 곳 중 왜 회사에 바치는가. 회사보다 우리 목숨이 더 중요하다.

6. 을(乙)의 침묵

상사들이 업무차 모두 나가고 부하직원과 나만 둘이 남았다. 갑자기 몰아치는 업무량에 정신없이 일에 몰두했다. 한참동안 그렇게 일하고 잠시 화장실에 다녀왔다. 1분 조금 넘게 자리를 비웠을 거다. 다시 자리로 돌아왔을 때 사무실 전화기 4대와 내 휴대폰까지 울리고 있었다. 일단 되는 대로 전화를 받았다. 받자마자 버럭 큰소리치는 사장님 목소리가 들렸다.

"왜 이렇게 전화를 안 받냐?!! 어디 갔었어?"
"화장실에 좀 다녀왔어요."
"그런데 1분이나 걸리냐? 내가 전화를 몇 번이나 했는데!"

부하직원은 사무실에 있었는데 왜 전화를 안 받고 있었을까? 1분 동안 전화가 10통이 왔으면 쉬지 않고 계속 전화벨이 울렸을 텐데 단 한 번도 받지 않았다. 이유를 물어보니 전화 받기가 무서웠다고 했다. 그래서 전화벨이 울리기 시작할 때 복도에 나와 나를 찾았고 내가 오기를 기다렸다고 했다. 나는 잠시 화장실을 다녀왔다는 이유로 근무시간에 일하지 않는 직원으로 오해받았다. 저절로 한숨이 나오고 답답했지만 결국 침묵했다.

각자 업무에 집중하던 어느 날 부장님과 사장님은 뭔가 심각한 대화를 주고받고 계셨다. 작전을 짜는 것 같은 분위기였다. 들을 마음은 없었는데 자리가 가깝고 목소리가 커 모두 들렸다.

"전화해서 조 대리가 잘 몰라서 일처리를 잘못했다고, 죄송하다고 말해."

사장님은 부장님을 향해 지시를 내렸다.

내가 무슨 일을 잘못한 걸까. 아무리 생각해도 잘못 처리한 일이 없었다. 궁금해 무슨 일인지 여쭤봤다. 부장님이 진행하던 일이 있었는데 잘못되어 상대회사에게 사과해야 하는 큰일이었다. 고민하던 부장님과 사장님이 머리를 맞대고 생각해낸 결과라는 것이 나를 팔아 사과하는 것이었다.

이번에는 침묵할 수 없었다.

"제가 알지도 못하는 일인데 왜 제가 일을 잘못한 직원이 되어야 하나요?"

"조 대리, 우리 얘기 들었어? 그런 얘기는 들어도 못 들은 척하는 거야. 그냥 가만히 있어."

사장님의 대답은 결국 나를 또 한 번 침묵하게 만들었다.

내가 열심히 한 일은 당연했고 상사가 잘못한 일은 내 탓이 됐다. 결국 부장님은 사장님의 지시를 즉시 행동에 옮겼다. 나를 팔아 사과하고 일은 마무리됐다.

그 무렵 나는 하늘이 무너지는 것 같은 일을 겪었다. 아빠가 간암수술을 받게 됐다. 한평생 술을 끊지 못하고 살던 아빠는 결국 간암 선고를 받고 입원했다. 어려서부터 아빠와 단 둘이 살던 나는 항상 불안했다. 부모가 한 분밖에 안계시기 때문에 아빠가 잘못되면 고아가 된다는 불안감이었다. 성인이 되어서도 고아는 되기 싫었다. 회사생활을 하면서 간병생활이 시작됐다. 새벽부터 밤까지 긴장의 끈을 놓을 수 없었다. 회사에 피해를 주기 싫었고 평소와 다름없이 근무했다.

다행히 아빠의 수술은 잘됐고 퇴원하셨지만 체중이 50kg대까지 떨어졌다. 계속 통원치료도 받아야 했고 일을 할 수 없는 상황이었다. 그렇게 나는 가장이 됐다. 안 그래도 아무 도움 없이 혼자 모두 해결하고 사느라 힘든데 집안경제까지 떠안게 돼 하루하루가 막막했다. 회사를 그만두고 싶어도 그만두지 못했던 가장 큰 이유이기도 했다. 새로 직장을 구할 때까지 도와줄 사람이 없으니 우선 먹고 살려면 직장은 계속 다니면서 투잡을 해야 할 상황이었다.

오랜만에 모두 점심 먹는 자리에서 나는 또 한 번 침묵으로 버텨야 할 일이 생겼다.

"조 대리, 아버지 퇴원하셨어? 그럼 일은 다시 하시나, 아니면 집에 계시나?"

"퇴원하시고 집에 계세요."

"아빠가 간암수술했다고 쉬는 거 보니 집에 돈이 많은가봐? 좋겠네. 쉬기도 하고. 하하하."

이번만큼은 주먹을 한 방 날리고 싶었다. 그렇지 않으면 내가 못 견딜 것 같았다. 그런데 나는 참았다. 또 다시 침묵했다.

침묵하고 말았다.

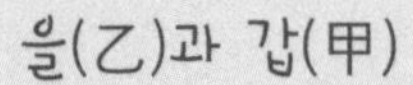

왜 을(乙)은 늘 갑(甲)에게 죄송한 존재일까?
갑의 독설에 을은 항상 침묵으로 일관할 수밖에 없는지 궁금했다.
직장생활을 해보니 복잡하고 답이 없는 조직생활이다. 어떤 사람을 만나게 될지, 무슨 일이 벌어질지 아무도 모른다. 예상할 수도 없다. 어떤 상황에서도 자연스럽고 지혜롭게 해결해 나갈 수 있으면 좋겠지만 이론적으로 속시원히 풀어줄 수는 없다고 생각한다.

직장생활의 성패는 대인관계에 좌우되므로 내가 양보하고 이해하고 배려해야 하는 상황이 많이 생긴다. 물론 내 노력만으로 답이 안 나오는 사람도 있다.
너무 가까워도 너무 멀어도 어려운 것이 직장 대인관계다.
나도 후회투성이 직장생활이었지만 한 가지 조언한다면 마음속에 분노가 아무리 치밀어 올라도 그것을 곧바로 행동으로 옮기지는 말자. 감정을 섣불리 행동으로 옮기고 두고두고 후회하는 사람들을 많이 봤다.

침묵한 것에 대해서는 한 번쯤 후회할 수 있지만
자신이 말한 것에 대해서는 자주 후회할 것이다. _이안 가비롤

갑은 을의 공격을 무시하는 경향이 있다. 그래서 전략적인 방어술을 준비하지 않는 경우가 많다. 을은 이때 비장의 무기를 꺼내야 한다. 갑도 많은 허점과 약점이 있기 마련이다. 을은 배짱과 자신감을 가져야 한다. 그렇다고 갑에게 무턱대고 돌진하는 것은 어리석은 짓이다. 차분하고 조용히 설득해야 한다. 그것이 내 손에 피를 안 묻히고 적을 제압하는 방법이다.

한 번도 을이 되어보지 못한 갑은 을에게 당하게 된다. 억울한 을이 되어보지 못한 사람은 현명하고 존경받는 갑이 될 수 없다. 인간은 자신이 경험하지 않은 것은 알 수 없기 때문이다.

7. 못난이

모든 준비를 마치고 가방을 드는 순간 또 하루가 시작된다.

봄의 시작을 알리는 벚꽃이 활짝 핀 길을 지났다. 버스타고 가는 내내 눈을 뗄 수 없었다. 중간에 내려 걷고 싶었다. 퇴근길에는 좀 걸을까 생각했다. 잠시 벚꽃을 보고 꽃향기를 맡으며 회사에 도착했다. 역시 아무도 오지 않았다. 언제나 출근은 1등이었다.

보안카드를 찍고 문을 여는 순간 내 발걸음은 입구에 그대로 멈췄다. 사무실이 이상했다. 잠시 굳어 있던 나는 서둘러 모든 불을 켰다. 난장판이 된 사무실을 멍하니 바라봤다.

'무슨 일이지? 왜 이렇게 됐을까? 도둑이 들었나? 그럼 보안업체에서 왔을 텐데?'

짧은 시간에 여러 생각이 들었다. 무섭기도 했다. 천천히 걸어 들어갔다. 사무실 가운데 있던 테이블을 보는 순간 안도감과 한숨이 나왔다.

금요일 저녁 어김없이 술을 드시던 사장님이 1차, 2차, 3차를 거쳐 사무실에 친구 분들과 함께 오신 거다. 마지막으로 사무실에서 시간을 보내신 것 같았다. 테이블 위에는 먹다 남긴 과자들과 종이컵들, 바닥에는 온갖 쓰레기가 뒹굴고 있었다. 주말동안 그대로 방치되어 있었다.

월요일 아침부터 이런 상황에 너무 화가 났다. 결국 내가 대청소를 해야 했다. 고무장갑을 끼고 앞치마도 입었다. '하다하다 이런 것까지 내가 해야 하나?' 혼자 중얼대며 청소하고 있을 때 뒤이어 출근한 동료가 놀라며 들어왔다. 사무실이 왜 이러냐고 묻는 동료에게 나는 아무 대답도 하지 않았다. 한 번 스윽 훑어본 동료는 상황 파악이 되었는지 알아서 쓰레기 청소를 시작했다. 우리는 서로 말 없이 표정 하나로 한숨소리 한 번으로 모든 것을 파악했다.

월요일 오전 시간을 대청소로 보냈다.

먼저 마무리하고 점심 먹기로 했다. 동료가 쓰레기를 버리러 간 사이 나는 테이블을 닦다가 우연히 거울에 비친 내 모습을 보게 됐다. 사무실을 걸어다닐 때 자주 스치던 거울이다. 평소처럼 그냥 넘기지 못하고 내 모습을 다시 봤다.

너무 낯설었다. 내가 생각하던 내 얼굴이 아니었다.

분명히 매일 아침마다 화장하고 머리를 빗을 때 내 얼굴을 보는데 그 얼굴이 아닌 다른 사람 같았다. 펜을 쥐고 있어야 할 손에는 두 손 모두 고무장갑을 끼고 있었다. 내 옷을 모두 가린 어두운 앞치마를 입고 있었고 어디선가 얻어온 행주로 청소를 하고 있었다.

거울 속 저 사람은 누구지? 내가 아니다. 완전히 다른 사람이었다.

"왜 저런 모습, 저런 표정일까?" 한참 바라봤다.

점심식사를 하며 내 얼굴이 전과 다른지, 많이 변했는지 동료에게 물었다. 오늘따라 너무 낯설고 다른 사람 같은데 상대방이 보기에 어떨지 궁금했다. 동료는 내게 크게 달라진 것은 없는데 매일 인상 쓰고 있어 그렇게 보일 수도 있겠다고 말했다.

충격이었다. 내가 인상을 쓰고 있다는 생각조차 못했는데.

아무래도 마음속에 쌓이는 것이 많을수록 표정도 좋지 않았나보다. 매일 한숨 쉴 일만 늘고 참고 침묵해야 할 상황이 많아지면서 더 심해진 것 같았다.

조명이 가장 밝은 화장실에 가 양치질하며 자세히 내 얼굴을 들여다봤다.

내가 예쁘다고 생각한 적은 단 한 번도 없었지만 자신감도 부족하고 자존감은 땅속으로 추락한 나도 내 자신을 못생겼다고 생각하지 않았는데 이상하게 변해 있었다.

나름대로 흰 피부는 언제 이렇게 어둡고 칙칙해졌는지, 산뜻함과 거리가 멀었다. 우중충하고 보기만 해도 우울했다. 그동안 얼마나 인상을 쓰고 다녔으면 힘을 주지 않아도 미간은 자연스럽게 구겨져 있었다. 표정 없이 사는 시간이 늘고 얼굴근육을 쓰지 않아 딱딱하게 굳어 있었다. 한껏 무거운 짐을 짊어진 것처럼 어깨도 돌덩이 같았다.

억지로 웃어보려고 했다. 얼굴근육이 바들바들 떨렸다. 오랫동안 쓰지 않은 근육을 갑자기 쓰려니 마음대로 되지 않았다. 입꼬리를 올려보는 것 자체가 어색했다.

남을 증오하는 감정이 얼굴의 주름살이 되고
남을 원망하는 마음이 고운 얼굴을 추악하게 만든다. _**데카르트**

회사에서 보내는 대부분의 시간을 사장님을 원망하는 시간으로 많이 보냈다. 내게 개인적으로 심한 말을 하실 때는 부딪치기 싫어 그냥 침묵했는데 그러면서 그 감정이 증오로 커진 것 같다. 남을 원망하고 미워하는 데 너무 많은 에너지를 쏟고 살았다. 그럴수록 나만 힘들고 망가지는데 스트레스를 풀지 못하니 그것이 그대로 쌓여 내면과 얼굴이 모두 망가지고 있었다.

이후 한동안 거울을 보기 싫어 피했다. 굳이 못생겨진 얼굴을 보고 싶지 않았다. 자신감이 더 없어지고 우울해질 것 같았다.

가끔 동료와 상사들의 표정도 유심히 살펴봤다. 표정만큼은 모두 쌍둥이라고 생각될 만큼 닮아 있었다.

그리고 깨달았다. 내 표정도 그렇게 원망하고 미워했던 상사의 표정과 같다는 것을.

원망하고 증오하면서 부정적인 에너지를 온몸으로 받고 살았던 것이다. 그렇게 못난 내가 될 때까지 나는 나 자신을 돌보지 못했다.

얼굴, 살아온 흔적

얼굴을 보면 살아온 흔적이 보인다. 얼굴 표정만 봐도 어떻게 살아왔는지 금방 알 수 있다. 미간에 주름이 있다면 평소 쉽게 화내고 인상 쓰는 사람이고 눈이 선한 사람은 평소 친절한 미소를 많이 지어보인 사람이라고 한다.

예로부터 나이가 들수록 자신의 얼굴에 책임져야 한다는 말이 있다. 한 살 한 살 나이를 먹을수록 살아온 인생이 얼굴에 그대로 반영되기 때문이다. 살아온 대로 삶의 희로애락이 여과없이 드러나는 것이 얼굴이다. 웬만한 불평불만은 이해와 아량으로 넘어가야 하고 마음의 크기를 넓혀야 한다. 그래야만 얼굴이 편하고 혈색이 좋아진다. 각박하게 살다보면 주름이 생기고 고약한 표정을 짓게 된다. 그러면 모두 외면한다.

얼굴은 이목구비보다 표정이 중요하다. 이마에 주름살이 생기고 얼굴에 잡티가 있어도 환히 웃는 사람은 심술궂고 고약하다는 말을 듣지 않는다. 거울 속 내 모습에 큰 충격을 받은 후로 얼굴 생김새보다 밝은 표정과 미소를 중요하게 생각하게 됐다. 웃는 것도 연습이 필요하다.

상황은 먼저 나아지는 것이 아니라 내가 먼저 나아지게 만들어야 한다. 기억하자.
거울은 절대로 먼저 웃지 않는다.

8. 수저론(Spoon-Class Theory)

해가 서쪽에서 떴는지 사장님이 매우 기분좋게 출근하셨다.
핑크색을 좋아하는 아들과 함께.

술도 드시지 않고 무척 말끔한 모습으로 입가에는 미소가 떠나질 않았다. 직원들과 한 마디 상의, 아니 아무 통보도 없었다. 어리둥절한 직원들은 안중에도 없으셨고 아들을 사장님 자리에 앉혔다. 사장님 아들은 커피에 꽂힌 빨대를 물고 널브러지게 앉았고 사장님은 그 모습을 흐뭇하게 바라보셨다.

그날부터 사장님 아들과의 불편한 동거가 시작됐다.

사장님과 아들은 출퇴근 시간이 따로 없었다. 항상 아들을 집까지 차로 데려다줘야 한다는 이유로 마음대로 왔다가 아무 때나 퇴근했다. 사장님이 한 명 더 생긴 거나 다름없었다.

보통 스케줄은 이랬다. 오전 10시 반쯤 사장님과 아들은 여유롭게 출근했다. 아들과 함께 출근한 이후 사장님은 어깨에 힘이 잔뜩 들어갔고 아들은 항상 커피에 꽂힌 빨대를 물고 어슬렁어슬렁 뒤따라왔다. 그리고 아들이 사장님 자리에 반쯤 누운 자세로 앉는다. 그리고 11시부터 12시까지는 여자친구와 통화시간이다. 아예 휴대폰을 들고 나가 들어오지 않았다. 급한 일이 생겨 전화해도 항상 통화 중이었고 건물 구석구석을 돌아다니며 찾아도 찾을 수 없었다.

그런 사장님 아들과의 동행은 점심시간까지 이어졌다. 점심메뉴도 자신이 먹고 싶은 것을 골랐다. 뚱뚱한 체격과 달리 무슨 음식을 먹어도 깨

작대고 남겼다. 직원들은 사장 아들이어서가 아니라 함께 밥 먹으면 밥맛이 떨어진다고 했다. 그나마 하루 중 유일하게 숨통이 트이는 점심시간도 사장님과 함께 있는 기분이었다. 그나마 점심시간에 직원들끼리 밥 먹을 때가 대화할 수 있는 시간인데 우리는 아무 말 없이 밥만 먹어야 했다. 사장님 아들이 편한 사람이 있을 리 없었다. 그렇게 직원들 간의 대화는 더 줄어들었다.

회사 체계가 점점 무너지기 시작했다. 회사에서도 호칭은 '아빠'와 '우리 아들'이었고 사장님까지 아들의 눈치를 보기 시작했다. 혹시 아들이 투덜대진 않는지 힘들어하진 않는지 노심초사였다. 직원들의 불만은 나날이 커져만 갔지만 누군가 먼저 섣불리 말하는 사람은 없었다. 우리도 사장님으로부터 월급받는 주제에 쉽게 큰 소리 낼 수 없었고 그저 이것이 을(乙)들의 눈물이라고 생각했다.

직장인들은 대부분 점심식사 값이 정해져 있다. 음식값은 계속 오르는데 식비는 오랫동안 올려주시지 않았다. 월급이나 식비 인상에 굉장히 인색하셨다. 그런 상황에서 사장님 아들은 예외였다. 사장님은 직원들에게 매우 당연하고 당당하게 말씀하셨다.

"우리 아들은 먹고 싶다는 거 모두 먹게 해."

그날 이후 사장님 아들과 함께 점심을 먹기 싫어 피했다. 한 상사는 다함께 먹고 살자고 하는 짓인데 먹는 걸로 사람 서럽게 만든다며 열을 올리셨다. 사장님 아들만 남겨놓고 점심먹으러 갈 수도 없고 서로 눈치만 보던 직원들이 따로 밥을 먹기 시작했다. 나도 그때부터 혼자 밥 먹는 '혼밥족'이 됐다.

차라리 밥은 혼자 먹는 게 편했다. 점심식사까지 혼자 하게 되면서 점점 대화가 줄어드는 바람에 입에서 곰팡이가 필 것만 같았다.

그럼에도 꾹 참고 있던 내가 폭발하게 된 사건이 있었다.

처음 보는 분이 회사에 방문하셨다. 사장님의 중요한 손님 같았다. 사장님과 손님은 대화를 나누셨고 우리는 각자 업무에 집중하고 있었다.

사장님 왈,

"우리 아들이 회사에 온 뒤로 모든 일이 잘 풀립니다. 우리 아들이 거의 모든 일을 맡고 있고 일도 아직 다 안 배웠는데 어제 오늘 계속 계약을 성사시켰습니다. 우리 아들이 혼자 다 했어요."

자식 칭찬은 아무래도 좋다. 그럴 수 있다. 하지만 그 계약은 모두 내가 성사시킨 일이다. 사장님 아들은 무슨 내용인지도 모른다.

백 번 양보해 거기까지도 참았다.

그런데 그에 따른 인센티브까지 아들과 나눠 지급한다는 순간 나는 더 이상 가만히 있을 수 없었다.

"사장님, 일은 제가 다 했는데 인센티브를 왜 사장님 아들과 제가 나눠 받나요? 부당한 처사라고 생각합니다."

사장님의 대답이 가관이었다.

"조 대리가 일할 때 우리 아들도 회사에 함께 있었잖아."

기가 막혔다.

이런 일도 있었다.

급한 일이 한꺼번에 몰려 다른 상사분이 사장님 아들에게 업무 지시를 했다. 두 블록을 걸어 다녀와야 하는 일이었다. 사장님 아들은 얼굴을 찌푸리며 나갔다. 나가자마자 바로 사장님께 전화드렸나 보다. 외출 중이던 사장님이 뛰어 들어오셨다. 그리고 아들이 간 곳을 물었다. 바로 차를 타고 나가셔서 아들을 태워왔다. 신체 건강한 아니 건강하다 못해 뚱뚱해 살을 빼야 할 젊은 아들이 겨우 두 블록 걸었다고 모든 일을 접고 들어온 사장님을 이해해줄 직원은 없었다.

어이없고 코미디 같은 상황은 반복됐다. 그런 모습들이 모자라 보였던 부자(父子)는 한 쌍의 '덤 앤 더머'였다. 자식을 아끼는 아름다운 부모의 모습으로는 결코 보이지 않았다. 사장님은 기업 대표로서 무능해보였고 아들은 아빠가 없으면 아무 것도 못하는 바보 같았다.

자식을 불행하게 만드는 가장 확실한 방법은
항상 무엇이든 손에 넣을 수 있게 해주는 것이다. _**루소**

금수저, 흙수저

몇 해 전부터 급부상한 금수저, 흙수저가 이런 것 같다. 수저론(Spoon-Class Theory)은 2015년 무렵부터 자주 사용되는 사회이론이다. '은수저를 물고 태어나다.(born with a silver spoon in one's mouth)'라는 영어 표현에서 왔으며 유럽 귀족층에서 은식기를 사용하고 아이가 태어나자마자 유모가 은수저로 젖을 먹이던 풍습에서 유래했다고 한다. 태어나자마자 부모의 직업, 경제력 등으로 본인의 수저가 결정된다는 이론이다. 돈 많고 잘난 부모를 둔 아이들은'금수저'이고 그렇지 못한 평범한 아이들은 '흙수저'라는 것이다.

금수저, 흙수저의 기준대로라면 나는 흙수저다. 금수저들과 달리 금쪽같은 시간을 쪼개 돈을 벌어야 했다. 하고 싶은 것도 마음대로 할 수 없었고 갖고 싶은 것도 어렵게 노력해야 겨우 얻을 수 있었다. 하지만 사장님 아들이 부럽지 않았다. 그렇게 아무 생각 없이 쉽게 주어지는 것들이 오히려 훗날 독이 될 것임을 나는 알고 있다.
스스로 할 수 있는 것이 하나도 없는 사람이 나이만 먹는다고 성인이 될 수는 없다. 고등학교를 졸업하면 성인이고 그때부터 자신의 인생은 스스로 책임져야 한다. 인생에 대한 책임과 결과는 전적으로 자신에게 달려 있다. 스스로 책임지고 이끌어나가는 자긍심을 기르자.

9. 콩나물국밥집

지하 1층은 식당가였다. 점심시간만 되면 사람들로 바글바글했다. 우리는 정확한 점심시간이 없었다. 조금 일찍 먹거나 남들처럼 12시에 먹거나 일이 많으면 늦게 먹는 날도 있었다.

많은 식당들 중 음식을 기다리지 않아도 되는 유일한 식당이 있었다. 콩나물국밥집이었다. 주문한 음식이 나오기 전까지 먹을 것이 많았다. 우선 밑반찬과 함께 1인 1 계란프라이를 주신다. 그리고 떡볶이가 나온다. 웬만한 분식집 떡볶이보다 맛있어 다른 분식집에서 항의가 들어올 정도였다. 떡볶이를 서비스로 계속 리필해주시니 사람들은 당연히 떡볶이와 밥을 모두 먹을 수 있는 콩나물국밥집으로 몰렸기 때문이다. 우리 점심 식비로 그렇게 배불리 먹을 수 있는 곳은 없었다. 콩나물국밥집의 메뉴는 다양했다. 나는 뚝배기 콩나물 제육덮밥과 여름에는 비빔 메밀국수를 자주 먹었다.

콩나물국밥집 사장님은 식당을 운영하시는 분들과 분위기가 조금 달랐다. 늘씬하고 세련된 커리어우먼 느낌이 강했다. 사교성도 뛰어나 손님들과 대화가 끊이지 않았다. 남편분의 경제력이 좋은 데도 자신이 일을 하고 싶어 오랫동안 해왔다고 했다. 우리 회사에도 놀러오시고 서로 도울 일이 있으면 돕기도 했다. 그래서 우리 직원들이 가면 인심이 좋았다. 항상 웃는 얼굴로 상대방의 기분까지 좋아지게 했다.

너무 무더운 어느 여름날 더위에 유난히 약한 나는 지쳐 있었다. 일도 많았는데 마침 혼자였다. 점심시간에는 식사 대신 그냥 쉬고 싶었다. 잠시 멍하니 창밖을 보며 앉아 있었는데 콩나물국밥집 사장님께서 볼일이 있어 사무실에 오셨다. 잠시 얘기를 나누다가 벌써 밥을 먹은 거냐고 물으셔서 그냥 웃었다.

10분쯤 흘렀을까 다시 사무실에 오신 콩나물국밥집 사장님은 쟁반에 한가득 음식을 차려 오셨다. 내가 좋아하는 비빔 메밀국수에 떡볶이, 계란프라이까지 모두 챙겨주셨다. 힘들어도 밥은 굶지 말라면서 평소 잘 먹는 메뉴들을 가져 왔으니 많이 먹으라고 하셨다. 식사 값을 드리는데 극구 뿌리치고 나가셨다. 다 먹고 그릇을 갖다드리면서 다시 식사 값을 드렸다. 챙겨주고 싶어 줄 때는 맛있게 먹었으면 됐다고 또 뿌리치셨다. 그 후부터 떡볶이가 먹고 싶으면 콩나물국밥집에 가 떡볶이만 받아 먹기도 했고 일주일에 두세 번은 항상 그곳에서 점심을 먹었다.

사장님 아들과 단둘이 사무실에 있는 시간에는 정신병까지 걸릴 것 같았다. 감옥에 갇혀 감시받는 것처럼 답답했다. 화장실에 다녀온다고 말하고 건물 한 바퀴를 돌았다. 콩나물국밥집이 보였다. 가본 것이 언제인지 기억도 안 났다.

사장님 아들이 회사에 온 이후로 우리는 콩나물국밥집에 발길이 뜸해지기 시작했다. 콩나물국밥집 사장님과 우리 사장님은 가끔 함께 골프를 치는 사이였다. 사장님 아들은 그 얘기를 듣고 콩나물국밥집으로 점심을 먹으러 자주 갔다.

사장님 아들과 함께 밥먹는 것이 불편해 직원들은 뿔뿔이 흩어져 각자 먹었고 나는 점점 굶는 날도 많았다. 혼자 먹는 날은 간단한 샌드위치 위주로 먹고 옥상에 올라가 있기도 했다. 최대한 1분이라도 사장님 아들이 눈앞에 안보이길 바랐다. 숨쉴 공간이 필요했다.

음식도 그립고 사장님도 잘 지내시는지 궁금했다. 슬쩍 식당 안을 들여다보니 점심장사를 끝내고 휴식시간인 것 같았다. 대부분의 직장인들을 상대로 장사하는 식당들은 오후 3시부터 저녁장사 전까지 쉴 때가 많았다. 무슨 용기인지 문을 열고 들어갔다. 항상 그랬듯이 사장님은 활짝 웃으며 반겨주셨다. 오랜만에 만나도 점심은 먹었냐고 묻는 것이 인사였다.

과일과 과자를 조금 내오셨다. 무슨 말을 해야 할까, 내가 무슨 생각으로 여기 들어왔는지 긴장됐다. 하지만 사장님은 아무렇지 않게 여러 수다로 분위기를 풀어주셨다. 나는 아무에게도 말하지 못한, 가슴에 딱 걸려 있는 사장님 아들의 이야기를 시작했다.

회사에 앉아있기 힘들어 나왔고 갈 곳이 없어 돌아다니다 왔다고 말씀드렸다. 우리 사장님으로부터 들은 얘기가 있어 아들이 함께 일하고 있다는 것을 알고 계셨다. 물론 아들이 모든 회사일을 하고 있고 너무 잘한다고 자랑이 대단했다고 했다. 당연히 직원들과 상의된 일이고 잘 지내고 있는 줄로 알았다고 말씀하셨다.

말하는 중간에 참았던 눈물이 터졌다. 누군가를 미워하는 것도 너무 힘들었다. 사장님의 발자국 소리까지 싫었고 퇴근길에 눈물이 앞을 가려 몇 번이나 운전을 멈췄다. 하루하루 지옥같아 견딜 수 없고 억울함을 하소연할 곳도 없어 미치겠다는 나를 보며 콩나물국밥집 사장님도 눈에 눈물이 맺히셨다.

나를 진정시키고 사장님은 과거 아가씨 시절의 직장생활 경험담을 들려주셨다. 우연히 나와 같은 경험이 있었다. 다니던 회사에 사장 아들이 들어오게 됐는데 그 사장님은 오히려 아들을 더 호되게 가르쳤다고 했다. 밑바닥부터 남들보다 더 심하게 고생시키며 일을 시켜 직원들의 불만이 없었고 그것이 맞는 것 같다고 하셨다. 나는 대화를 나누며 점점 안정을 되찾았다.

내게 '네 잘못이 아니다'라고 말해주는 사람이 한 명은 있었다. 그 한마디로 충분한 위로를 받았다. 감옥처럼 느껴지던 건물 안에서 숨쉴 구멍이 생겼다. 퇴사하더라도 다른 사람 때문에 퇴사하는 것은 도망치는 것 같고 후회할 수 있으니 나 자신을 위해 생각해보라는 조언을 듣고 나왔다.

한바탕 눈물, 콧물 모두 빼고나니 숨쉬는 것이 조금 편해졌다.

인생 선배

사회생활을 하면서 어른, 특히 상사에게 실망하는 경우가 많았다. 훌륭한 어른을 만난 기억이 많지 않았다. 나의 직장상사는 아니지만 콩나물국밥집 사장님은 매우 괜찮은 어른이었다. 가끔 길이 보이지 않을 때 길을 가르쳐주는 인생 선배 한 명을 기대할 때가 있다. 개인적으로 나와 특별한 사이는 아니었지만 인생 선배로서 중심을 잡아주고 조언해주셨다. 그 후에도 만날 때마다 다른 것은 몰라도 내 건강과 마음을 걱정해주셨다. 그럴 때마다 바늘구멍만큼이라도 숨통이 트였다.

은혜를 모르는 것은 근본적인 결함이다.
그렇기에 은혜를 모르는 사람은
삶의 영역에서 무능한 자라고 할 수 있다.
타인의 은혜에 감사할 줄 아는 마음
그것은 건실한 인간의 첫 번째 조건이다. _괴테

매우 감사했다. 내가 손 내밀 수 있게 항상 열린 마음으로 대해주셨다.
사회생활에서는 가끔 전혀 생각하지도 않은 인연이 생기기도 한다. 콩나물국밥집 사장님과의 소중한 인연 덕분에 가장 힘든 시간에 나는 나쁜 생각에 빠지지 않았다. 당시는 누구라도 붙잡고 얘기하지 않으면 죽을 것만 같았다. 아무 조건 없이 베풀어주신 것을 당연하게 생각하지 않는다. 진심으로 감사했고 잊지 못한다. 한 가지 마음에 걸리는 것은 감사한 마음을 내가 제대로 전했는지 모르겠다는 것이다.
나도 훗날 훌륭한 어른이 되고 싶다. 어디선가 만날 인생 후배들에게 그 마음만큼은 되돌려주고 싶다. 그렇게라도 은혜를 갚는 것이 정말 훌륭한 어른이 되는 것 아닐까?

제2장

나는 직장인이다

안 해본 아르바이트가 없을 정도로 수많은 일을 했다. 두세 개는 기본이고 평일과 주말까지 쉬는 날이 거의 없었다. 매일 일하면서도 다른 일자리를 알아봤다. 면접도 부지런히 봤다. 말 한마디 제대로 못하고 나올 때도 있었지만 하루빨리 안정적인 직장에 취업해 돈을 벌어야만 했다. 이런 나의 노력을 하늘이 알아주었는지 여러 곳에서 합격 통보를 받았다.

일하는 것은 인간에게 먹고 자는 것보다 더 필요하다. _**훔볼트(독일 언어학자)**

1. 첫 직장 - 너무 이른 행운

첫 직장은 서울 송파구의 S무역회사였다. 나는 서울에 살지 않아 일단 서울이면 모두 크고 좋아보였다. 그리고 학창시절 소풍 때나 갈 수 있던 롯데월드를 거쳐 석촌호수 길을 걷다보면 커리어우먼이라도 된 듯 기분 좋은 착각이 들기도 했다.

사실 합격을 기대하지 않았던 회사였다. 면접에서 대뜸 책을 던지더니 읽어보라고 해 펼쳤는데 온통 영어로 쓰인 원서였다. 그것도 무역회사에서 쓰는 전문용어들이 많았다. 내 차례가 왔고 뛰쳐나갈 수는 없으니 뜻은 몰라도 일단 발음이 되는 대로 읽기 시작했다. 점점 자신감이 없어지면서 목소리는 기어들어갔다. 그 뒤로 몇 가지 질문과 대답이 오갔지만 무슨 말을 했는지 기억도 안 난다. 그냥 나가고 싶었다.

그래서 전혀 기대하지 않고 다른 회사에 면접 보러 다녔는데 합격 연락이 왔다.

내가 왜 합격했는지 아직도 모르겠다.

신입사원의 첫 업무는 대부분 그렇듯이 복사와 전화받기였다. 별로 어려운 일도 없고 분위기도 좋아 스트레스는 없었다. 첫날 점심메뉴는 신입사원이 정하라고 하셨다.

"냉면요!"

냉면의 계절 여름도 아니었는데 모두 기분좋게 내 의견을 받아주셨다. 점심식사 후 간단히 차 한 잔하면서 회사에 대해 더 많이 알게 됐다. 사장님은 30년 동안 교직에 계셨고 교장선생님까지 하신 후 퇴임하셨다. 제2의 인생으로 회사를 설립하셨는데 꽤 안정적으로 잘됐다.

오랜 교직생활 때문인지 직원들을 어린 학생이나 자식처럼 대하곤 하셨다. 더구나 나는 막내였고 체구도 작아 '엄지공주'라고 부르셨다. 한 장만 복사해 갖다드려도 잘했다고 칭찬해주셔서 처음에는 갸우뚱했다. 이게 칭찬받을 만큼 잘한 일인지 장난치시는 건지 분위기 파악이 안됐다. 일은 천천히 배워도 되니 우선 회사에 적응하는 것이 중요하다는 조언도 해주셨다.

신입사원이 입사했다는 얘기를 듣고 사장님의 사모님이 회사에 오셨다. 한 눈에 보기에도 인자한 선생님 같았는데 사모님도 교직생활을 하셨던 분이었다. 사모님은 신입사원이 입사하면 오셔서 함께 회식하고 식사자리를 갖는다고 하셨다. 그렇게 직장생활 첫 회식자리에 갔다. 술을 전혀 못하는 나는 잔뜩 긴장했다. 사장님과 사모님은 술을 권하지도 않으셨고 드시지도 않았다. 고기가 맛있게 구워지면 내 접시에 놔주시기 바빴다. 사모님의 자녀들보다 내가 한참 어려서인지 사모님은 내게 '핏덩이 같은 것'이라는 말씀을 많이 하셨다. 어린 아가씨가 돈 버느라 고생한다고 그 후로도 많이 챙겨주셨다.

어느 날 점심시간 무렵 사모님께서 직접 반찬과 밥을 지어 두 손 가득 들고 오셨다. 사장님으로부터 내 얘기를 들으신 것 같았다. 엄마가 안 계시고 내가 집안살림을 하면서 회사생활까지 하는 게 안 되어 보였나보다. 직원들과 다함께 사모님이 만들어 오신 음식을 맛있게 먹었다. 다시 일하려고 내 자리에 갔을 때 쇼핑백 하나가 있었다. 집에 가 조금이라도 편히 저녁먹으라고 내 반찬을 따로 싸오셨다.

사장님은 종종 내 자리를 지나실 때면 어렵거나 불편한 것이 없는지 물으셨고 쉬면서 하라고 하셨다. 다른 직원들은 언니 오빠처럼 편히 대해줘 어려움이 없었다.

봄에는 점심식사 후 석촌호수에 가 벚꽃구경하며 산책도 했고 일도 점점 손에 익어 집처럼 편했다. 봄이 되면 춘곤증으로 일하기 힘들다고 사무실에 간이침대도 놔주셨고 가끔 우리는 돌아가며 쉬기도 했다.

퇴근 후 친구와 약속이 있었는데 우리 회사 앞에서 기다리고 있다는 것을 아시고 사장님은 친구를 사무실로 부르셨다. 퇴근시간이 안 되어 친구가 기다렸을 뿐인데 그것을 미안해하시며 저녁을 사주신 적도 있었다. 야근도 없었고 항상 칼퇴근했다.

나는 '꿈의 직장'을 너무 빨리 만났다. 아무 것도 모를 때 좋은 분들과 마음 편히 일하고 아무 강요도 없는 분위기의 회사가 어디 있을까? 첫 직장에서 그렇게 편히 지내 사회는 당연히 그런 곳인 줄로 생각했다. 힘들고 아프면 쉬고 나보다 어리거나 부하직원이라고 심부름 시키는 일은 없었다. 역시 알바와 다르다고 생각했다. 정식 직장에 오니 내 자리에 책상이 있고 나를 존중해주고 강요하지 않고 좋은 점은 수없이 많았다.

편의점 근무부터 전단지 돌리기, 옷가게, 음식점 서빙, 만두공장, 텔레마케터, 헤어모델, 사무보조 등등 아르바이트할 때는 사람 취급을 못

받는 경우도 많았다. 그동안 아르바이트로 너무 많이 고생해 직장생활은 고진감래(苦盡甘來)라고 생각했다. 뒤에 일어날 흥진비래(興盡悲來)는 생각하지도 못했다.

특별히 혼나거나 사무실에서 큰 소리 났던 기억이 없다. 청소도 함께 했고 직원들 사이도 좋았다. 가족과의 시간을 중시했던 사장님 덕분에 주말은 항상 휴일이었고 어버이날이나 생일에는 일찍 퇴근시켜주기도 하셨다. 유일하게 불평불만이 없는 회사였다. 그런 회사를 다시 만난 적도 없고 주변 그 누구에게서 들은 적도 없다.

그런 꿈의 직장을 퇴사한 이유는 말 그대로 어쩔 수 없어서였다.

건물주와 계약이 끝났다. 사장님은 당연히 재계약을 말씀하셨지만 건물주가 자신이 사업할 계획이니 나가달라고 했다.

급히 알아보느라 다른 지역까지 알아보시던 사장님은 목동 쪽으로 계약하셨다. 다른 직원들은 다닐 수 있었지만 나는 2시간이 걸렸다.

출퇴근이 힘든 지역이어서 할 수 없이 나만 퇴사해야 했다. 다시 구직자가 되는 것보다 어린 마음에 사람들과 헤어지는 것이 힘들었다.

2년 반 동안 집보다 더 편했던 나의 첫 직장을 나오면서 다른 생각이 없었다. 언니 오빠들과 헤어지는 것이 섭섭했고 의지할 곳이 사라져 외로웠다. 사장님께 제대로 감사 인사도 드리지 못하고 눈물을 참느라 급히 나왔다. 지금은 너무 후회된다. 언제 다시 만날지도 모르는데 제대로 인사도 못했다.

지금은 누군가에게 회사를 물려주고 쉬고 계실 것으로 생각한다. 연세가 꽤 많이 되셨고 잘 계시는지 소식도 모른다. 이후 나는 먹고 사느라 바쁘고 시간이 흐르면서 자연스럽게 연락이 끊겼다.

내가 다른 직장을 다녀보고 많은 사람을 겪으면서 힘든 상황에 사장님과 직원 분들이 보고 싶었지만 쉽게 찾아뵐 수 없었다.

안 좋게 헤어진 경우에도 다시 만나려면 힘들지만 애틋한 사람들도 다시 보는 것이 쉽지 않았다.

너무 아무 것도 모를 때 만나 받기만 하고 감사 인사조차 못 드려 죄송한 마음뿐이다.

사장님께서 건강하게 오래 사시길 바란다. 정말 뵙고 싶다.

직장에서 호의를 베풀어주는 사람에게 감사의 인사는 꼭 바로 하자. 퇴사 후 다시 볼 수 없는 사람이 될지도 모른다. 사회에서 만난 사람들은 회사를 그만두면 다시 보기 힘든 경우가 더 많다.

삭막한 사회에서 누군가에게 먼저 베풀어주는 것은 선배라도 실천하기 어렵다.

선배가 되어보니 알겠다.

과거의 은혜를 회상함으로써 감사는 태어난다.

감사는 고결한 영혼의 얼굴이다. _T.제프슨

내가 전에 훌륭한 상사를 만나는 것은 행운이라고 했는데 나는 그 행운이 너무 빨리 찾아왔다.

그것도 비교 대상이 없었기 때문에 좋은 줄도 모르고 감사함도 뒤늦게 깨달았다.

지금은 그런 상사를 만난다면 평생직장이라고 생각하고 다닐 것이다.

우연히 한 번 마주치길 바랐던 사장님과 사모님, 직원 분들을 아직 한 번도 못 봤다.

지금은 시간이 많이 흘러 모두 자신의 자리에서 최선을 다하며 살고 있으리라 생각한다.

내가 사장님이 될지는 모르겠다.

만약 내가 사장이 된다면 그때 내가 받았던 사랑을 직원들에게 돌려주고 싶다.

글을 쓰다보니 사장님의 부드러운 미소가 그립다.

2. 두 번째 직장 – 낙하산의 최후

남에게 의지하려는 마음은 애당초 없어야 한다. 누군가의 소개로 취업하는 것은 짐 하나가 늘어나는 꼴이다. 책임감은 몇 배 커지고 잘못되면 실망과 원망만 남는다. 퇴사 후 개운치 않은 찜찜함도 크고 남을 탓하게 된다. '취업한파'라는 말만큼 취업하기 힘들다지만 웬만하면 구직은 혼자 힘으로 하는 것이 좋다.

첫 직장을 퇴사한 후 쉬는 기간 없이 곧바로 두 번째 회사에 취업했다. 아빠와 조기축구를 함께 하시는 친구분의 회사였다. 내 얘기를 듣고 한 번 만나자고 하셨다. 면접은 동네 호프집에서 봤다. 지금 생각하면 어이없지만 당시는 그냥 아는 사이니 편하게 보려고 하시나 생각하고 나갔다.

두 개 사업을 하는 분이었다. 한눈에도 돈 많고 카리스마 있는 아저씨였다. 일은 배워가며 해도 된다는 말에 안심했지만 연봉 협상이 이상했다. 우선 얼마를 주고 사업이 잘되면 조금 더 주고 보너스는 사업이 더 잘되면 준다고 했다. 두루뭉술하게 넘어갔다. 아빠도 그 자리에 계셨는데 잘해주겠거니 믿으신 것 같다.

바로 다음 날부터 출근해 일을 배웠다. 일이라고 가르쳐준 것은 빗자루질과 걸레빠는 일이 전부였다. 결따라 염색하는 것도 아니고 빗자루질을 왜 결따라 해야 하는지 아직도 의문이다. 지금은 그냥 웃고 말지만 그때는 정말 황당했다. 빗자루질은 결따라 한쪽 방향으로만 쓸고 걸레는 꼭 세 번 짜야 한다. 그것이 내가 처음 배운 업무였다. 그것만으로 어영부영 오전시간이 지났다. 점심식사는 대부분 주문해 먹는다고 했다. 한 가지 메뉴로 통일해야 빨리 온다는 말에 같은 메뉴를 주문했다. 모두 말 한마디 없이 밥은 순식간 해치웠다. 나는 반도 못 먹었는데 눈치껏 뚜껑을 닫았다.

오후시간에는 각자 업무에 바빴다. 실장님은 테이블에 발을 올리고 의자에 기대 주무셨고 숙취로 힘들어하던 과장님은 엎드려 계셨다. 도도한 여자 대리님의 키보드 소리만 들렸다. 물어볼 곳이 대리님밖에 없어 내가 무슨 일을 하면 되는지 물었다. 알아서 하라는 소리를 들었다. 그때 대리님의 모니터 화면에는 한창 게임이 진행 중이었다. 게임할 때 내가 말을 시켜 짜증났나보다.

매우 자유로운 분위기의 회사라고 생각했다. 첫 직장에서 편히 지내 직장에 대한 선입견이 전혀 없는 상태였다. 더구나 사장님이 아빠 친구이니 더 좋을 거라는 큰 착각에 빠졌다.

하루 이틀 시간이 지나면서 이상한 느낌이 들었다. 사람들이 나와 말을 안 한다. 특별히 잘못한 일도 없다. 몰라서 물어봐도 대답이 없다. 그러다가 한 번 호되게 큰소리로 야단을 맞았다. 여느 때처럼 모두 졸고 게임 중이어서 나는 이메일을 확인하려고 인터넷 창을 클릭했다. 그 순간 뒤에서 실장님의 호통소리가 들렸다. 회사가 네 마음대로 놀러나오는 곳이냐며 '버럭'하셨다. 나는 아무 할 일이 없어도 다른 것을 마음대로 하면 안 된다는 것이었다. 너무 큰 소리에 놀라 자동으로 죄송하다고 여러 번 꾸벅 인사했다.

퇴근길에 버스를 타고 집에 오면서 할 일이 없을 때는 어떻게 하고 있어야 하는지 생각했다. 가만히 앉아 있어야 하는지, 계속 빗자루질이라도 해야 하는지 도무지 알 수 없었다. '누구라도 가르쳐주면 좋을 텐데.' 사장이라는 아빠 친구는 회사에서 얼굴을 볼 수 없었다. 사업차 매일 술자리를 갖느라 바쁘다고 했다.

웬만하면 나는 밖에서 있었던 일을 집에 돌아와 말하지 않는다. 좋은 얘기든 힘든 얘기든 우리 집은 그런 얘기를 들어줄 사람이 없다. 아빠에게 괜히 말씀드렸다가 걱정하실까봐 몇 번이나 참았지만 그때는 방법이 없었다. 회사에서 사람들이 내게 하는 행동을 말씀드렸다. 아빠는 이미 짐작했다고 하셨다. 어쨌든 그 사람들은 면접보고 뽑혀 힘들게 버티며 오랫동안 일한 사람들이다. 반면, 나는 사장님의 낙하산으로 갑자기 나타난 사람이니 좋게 볼 리 없을 거라고 말씀하셨다. 편히 입사한 만큼 그들의 마음도 이해하고 조금 버티라는 말만 들었다.

출근길이 고통스러워지기 시작했다. 직장이 지옥이고 전쟁터라는 말을 처음 느꼈다. 여전히 사장님은 만나기 힘들었고 불편한 직원들 사이에서 1분 1초를 견디며 지냈다. 점심식사는 무조건 다함께 먹어야 한다는 규칙 때문에 억지로 꾸역꾸역 먹었다. 모두 밥을 흡입하는 수준이어서 먹는 속도는 항상 내가 가장 느렸다.

하루는 모두 밥을 다 먹고 일어나고 혼자 남아 먹고 있는데 실장님이 테이블에 발을 '떡' 올리고 신문을 보셨다. 사람이 밥먹고 있는데 뭐하는 건지 불쾌했다.

더 이상 먹기 불편해 뚜껑을 닫는 순간 또 불호령이 떨어졌다. 음식을 왜 남기냐는 것이었다. 나는 그곳에서 끝까지 밥을 먹은 적이 없다. 항상 혼자 남는 것이 불편해 음식을 남기고도 소화불량에 시달렸다. 그날은 실장님이 꼬투리 잡을 것이 없었나보다. 자신이 발을 올려 밥맛 떨어진 거냐고 묻는데 서러움에 눈물이 터졌다. 실장님은 밖으로 따라 나오라고 했다. 밖에서 실장님이 내게 한 얘기는 아빠의 예상대로였다. 네가 이곳을 어떻게 들어왔는지 생각해보고 없는 듯 생활하라고 했다. 나는 원래도 조용한 편인데 어떻게 더 없는 것처럼 행동해야 하는지 감이 안 왔다.

입사 2주 만에 화장실에서 숨막힐 정도로 울었다. 그만두고 싶었다. 어차피 아빠 친구라는 사장님은 얼굴도 안 보이고 내게 특혜를 준 것도 없다. 다른 사람만큼 연봉이 높았던 것도 아니고 회사생활이 할 만한지 물어봐준 적도 없다. 다른 직원들이 보기에 뭔가 더 있을 거라고 의심했을 수도 있다. 하지만 아무 것도 없었다.

아빠 체면 때문에 싫어도 회사를 억지로 계속 나갔다. 회사에서는 전화받는 일조차 내게 시키지 않았다. 완전히 없는 사람 취급했다. 그렇게 아무 말 없이 시체처럼 앉아 있었다. 회사에서 볼 수 없었던 사장님을 만난 것은 우리 집에서였다.

퇴근 후 집에 도착했을 때 아빠는 사장님을 초대해 직접 삼계탕을 끓여 대접하고 계셨다. 그 모습에 너무 화가 나 뭐 하러 이런 거 하셨냐고 큰소리쳤다. 아빠는 나를 위해서라고 했지만 내 속도 모르는 아빠가 미웠다. 사장님은 아주 뻔뻔히 자신이 나를 잘 챙겨주고 있는 것처럼 말했다.

회사를 그만둘 결심은 했지만 아빠에게 말씀을 못 드리고 있었다. 아침 출근길 버스 정류장에서 언니를 만났을 때 언니는 누군가와 다정히 대화를 나누고 있었다. 낯익은 그 여자는 도도한 여자 대리님이었다. 세상 좁다더니 우리 언니의 후배였다. 언니가 내 동생이라고 소개해줬고 나는 일말의 희망을 가졌다. 대리님이라도 나와 말하며 지내리라 기대했지만 달라진 것은 없었다. 나는 사람들이 무서워지기 시작했다. 외롭고 하루가 너무 길었다. 첫 직장 사람들도 그리웠다.

오랜만에 사장님이 잠시 회사에 들리셨다. 언제 다시 볼 수 있을지 모르기 때문에 나는 사장실로 찾아갔다. 퇴사하고 싶다고 말씀드렸다. 사장님은 한마디 이유도 묻지 않은 채 곧바로 퇴사 처리하셨다.

이런 회사가 잘 돌아간다는 것이 신기했다. 돈만 많으면 다 되는 건가 생각도 들었다.

아빠에게는 죄송했지만 사람 취급도 못 받는 곳에 더 이상 다니고 싶지 않았다. 하루 10시간 아무 말 없이 가만히 앉아 있는 것도 못할 짓이다. 나는 그렇게 한 달 13일 동안 근무하고 퇴사했다. 아르바이트까지 포함해 내 사회생활 중 가장 짧은 기간 근무였다.

당시 더 좋은 회사에 취업해 복수하겠다고 다짐했다. 훗날 그 복수는 성공했다. 하지만 얼굴 보는 것 자체가 불편했다. 아빠는 그 후로 사장님과 어울리는 날이 줄었다. 내게 말씀은 안하셨지만 나 때문에 불편해진 부분도 한몫했을 것이다. 글을 쓰다가 문득 궁금해 아빠께 사장님 안부를 여쭤봤다. 술을 너무 많이 마셔 엄지발가락에 통풍이 왔다고 했다. 축구도 못하시고 약 드시며 치료한다고 하셨다. 회사는 여전히 운영하시는 것 같았다.

아는 사람이라고 좋을 것도 없었다. 물론 아는 사람이라고 내게 뭔가 더 해줬어야 하는 것도 아니다.

왜 제대로 알아보지도 않고 친구라고 덥석 믿고 나를 보냈는지 아빠를 원망했다. 나도 분명히 아빠 친구니까 잘해주시리라 생각했던 것 같다. 많이 어렸고 첫 회사처럼 사회생활은 모두 좋은 줄만 알았다. 사회가 얼마나 냉정하고 무서운 곳인지 제대로 느꼈다.

남에게 의지하면 실망하는 경우가 많다.
새는 자신의 날개로 날고 있다.
따라서 사람도 자신의 날개로 날아야 한다. _**르낭**

자신이 쓸 땔감을 직접 자르면 두 배 더 따뜻해진다는 말이 있다. 모든 일은 스스로 했을 때 만족스러운 법이다. 남의 도움을 받으면 마음에 안 들어도 참다가 불평불만이 쌓인다. 내가 직접 해야만 성공했을 때 성취감도 더 커진다.

나는 두 번째 회사에 다니면서 성취감이나 만족감을 단 한 번도 느껴보지 못했다. 취업시켜준다는 말에 그냥 믿고 따라갔다. 남들에게 나의 존재가 그렇게 스트레스가 되고 불편할 것이라곤 생각조차 못했다. 쉽게 얻은 만큼 쉽게 생각했던 것이다.

그 후 나는 남의 소개로 일하는 것을 피한다.
죽이 되든 밥이 되든 내 힘으로 한다.

자신의 힘으로 취업하고 책임지는 성인이 되자. 그것이 가장 속 편하다.

3. 세 번째 직장 – 김 과장, 이 과장, 박 과장

사람마다 회사마다 다르겠지만 나와 주변 친구들은 모두 약속이나 한 듯 만나면 각자 자신들의 과장을 욕했다. 전국의 과장님들께는 죄송하지만 과장이 문제인가보다. 지금은 과장 자리가 매우 애매하고 힘든 자리라는 것을 알지만 당시는 몰랐다.

나도 진상 과장님을 만난 적 있다. 술을 얼마나 많이 마시는지 항상 술 냄새가 진동했다. 술을 안마시고 싫어하는 내가 하필 바로 옆자리였다. 하루는 본인도 너무 힘든지 고개를 푹 숙인 채 졸고 계신 것 같아 조용히 일만 하고 있었다. 그런데 그때 이상한 소리와 함께 다른 직원들이 자리에서 일어나 멀리 피했다. 과음으로 결국 구토한 것이다. 몸이 힘들어 화장실로 가기도 전에 큰 실수를 하셨다. 삭막해진 사무실에서 모두 그대로 굳었다. 비위가 약한 나는 속이 안 좋아 화장실로 뛰어갔다. 그날부터 과장님은 나만 보면 사사건건 시비를 걸었다.

나는 답답할 정도로 '바른생활' 아가씨였다. 도대체 무슨 재미로 사냐고 묻는 사람도 많았다. 조용한 성격이지만 할 말은 했고 옳은 말만 해 짜증난다고 했다. 그랬으니 내가 과장님께 어떻게 했을지 짐작될 것이다. 감당 안될 만큼 매일 술을 드시니 건강도 안 좋으시고 이제 화장실에 갈 힘도 없으신 거라고 또박또박 말씀드렸다. 어이없었는지 더 이상 나와 대화를 이어가지 않으셨다. 점심시간에 다른 직원들은 내게 잘했다고 속 시원하다고 했다. 나는 동료들 속이 시원하라고 한 행동은 아니다. 아무리 상사라도 기본은 지켜야 하지 않을까?

과장님의 시비는 오래가지 못했다. 트집잡고 싶어도 잡을 만한 것이 없었다. 나는 항상 맨 먼저 출근했고 무슨 일이든 마감 하루 전 일을 끝냈다. 그러니 다른 상사분들은 나를 인정해주시는데 혼자 시비 걸기는 힘들었나보다.

매일 술먹고 지각하는 과장이 있는 것은 세 번째 회사도 마찬가지였다. 지각해 급히 들어올 때 항상 똑같은 말과 행동은 우리 사이에서 웃음거리였다. 우선 뛰어 들어온다. 손에는 휴대폰이 들려 있고 누군가와 급히 통화 중이다. 대사도 매일 똑같다.

"아, 네, 그래서 지금 좀 찾아뵐까 합니다."

전화를 끊고 굉장히 급하고 중요한 전화였음을 상사에게 어필한다. 그 모습을 일주일에 3번 이상 봤다. 나중에는 뛰어 들어오든 말든 아무도 신경 안 썼다. 일종의 퍼포먼스로 생각하고 웃어넘겼다. 그를 퍼포먼스 과장이라고 부르기도 했다.

반대로 잊을 수 없는 고마운 과장님도 있다. 성격, 혈액형, 식성이 나와 거의 똑같아 전생의 남매였다는 생각이 들었다. 면접에서도 나를 뽑아주신 분이고 회사생활 하는 동안 큰 의지가 된 분이다. 부하직원에게 일을 시킬 때는 미안하신지 항상 존댓말을 사용하셨다. 명령보다 부탁을 하셨고 끝나면 잘했다는 말도 자주 하셨다. 일을 지시할 때는 항상 "바쁠 텐데 미안해요. 혹시 ㅇㅇ서류 좀 볼 수 있어요?"라고 하셔서 찾아드리면 "여기요. 잘 봤어요. 워낙 알아서 깔끔히 정리를 잘해놓으니까 금방 확인이 되네요. 잘했어요. 덕분에 우리가 진짜 편하게 일하는 것 같아요."라고 작은 일에도 항상 칭찬과 고마움을 표시하셨다.

과장님이 약속이 있거나 일이 남아 야근하게 되면 자신이 책임질 테니 일찍 퇴근하라고 보내주시기도 했다. 사장님 때문에 스트레스 받으면 함께 흉도 보고 달래주시기도 했다. 가끔 다른 직원 몰래 차타고 나가 맛있는 점심을 먹고 오기도 했다. 그래서 회사생활을 버틸 수 있었다. 가끔 아들 운동회 때 집에서 싼 김밥을 직원들에게 나눠주기도 하셨다. 과장님도 술을 전혀 안 드셨기 때문에 회식자리를 많이 갖지 않았고 회식하더라도 술 부담이 없었다. 지금 생각해보면 과장님은 나와 점심 먹는 시간을 많이 가지셨다. 대화 나눌 시간을 만드신 것 같다. 한참 어린 내가 힘들어하고 어려워할까봐 먼저 배려해주신 것이다.

잊을 수 없는 다른 여자 상사도 있다. 나보다 나이도 훨씬 많고 베테랑이셨다.

어린 내게 친언니처럼 편히 대해주며 인생 전반에 대해 많은 조언을 해주셨다. 가장 고마운 부분은 지금 내가 돈을 모으는 습관을 제대로 만들어주신 분이다. 어떤 상품의 적금에 꼭 가입해야 하는지, 중요한 것은 액수가 아니라 꾸준히 모으는 것임을 알려주셨다. 10년 동안 세무관련 일을 했던 자신의 경험을 아낌없이 나눠주며 방향을 잡아주셨다. 자주 만나지는 못하지만 지금도 인연을 이어가고 있다. 아빠가 간암수술을 하시고 입원하셨을 때도 잊지 않고 찾아와주셨다.

다른 직장에 다닐 때 40대 초반 노총각 과장이 있었다. 그 나이까지 총각이니 연애에 얼마나 민감했을지 지금은 이해가 된다. 어찌어찌해 만나는 여자가 생겼나 본데 그때부터 사람이 심하게 달라졌다. 말도 안 되는 패션에 하루 종일 방방 떠있었다. 여자친구와 사이가 좋으면 자신이 하지 않아도 될 일까지 맡는다. 눈뜨고 봐주기 힘들었지만 멋도 내고 콧노래도 부른다. 그러다 여자친구와 싸웠는지 사무실 한가운데서 소리지르며 감정을 주체하지 못했다. 자신을 쳐다보는 직원들에게 뭘 보냐며 성질을 부렸고 갑자기 엄청난 양의 일을 시켰다. 나보다 나이도 훨씬 많고 상사였지만 한심해보였다.

또 다른 과장은 40대에 안 어울리게 징징대는 버릇이 있었다. 상사를 모시는 것이 아니라 뒤치다꺼리해줘야 하는 분이었다.

사무실에서 사용하는 물건들이 어디 있는지 몰라 계속 물어본다. 나보다 회사를 분명히 더 오래 다녔고 매일 사용하는 물건의 위치를 모를 리 없다. 나중에 알고 보니까 그 나이가 되어서도 집에서 엄마와 할머니가 모든 것을 해준다고 했다.

"휴지 좀 줘."

"컵 어디 있어?"

"이거 확대복사 어떻게 해?"

"이면지 어디에 버려?"

"점심먹다가 와이셔츠에 음식을 흘렸는데 이거 어떻게 지워?"

"이 일을 왜 나한테 하라는 거야? 어제 잠도 못 자 피곤한데."

도대체 일을 하라는 건지 말라는 건지.

한두 번은 해줄 수 있지만 매일 찾는 휴지나 컵은 모를 리 없는데 단 하루도 알아서 찾아 사용한 적이 없다. 일의 흐름도 끊기고 해주면서 나도 모르게 깊은 한숨이 저절로 나왔다.

사회생활에서는 이런 사람이 더 힘들다. 하나부터 열까지 챙겨줘야 하고 불만투성이에 징징대는 소리를 하루 종일 들어야 한다. 그러다보면 하루가 가기도 전에 진이 빠진다. 부정적인 에너지의 전염 속도는 LTE 급이다.

이렇게 어른이 되어서도 어른답지 못한 사람이 무수히 많다. 사회생활을 하다보면 더 많이 보인다. 훌륭한 어른이 되기란 쉽지 않은 것 같다.

좋은 상사도 많지만 힘든 상사도 있고 힘든 일이 있으면 즐거운 일도 있었다. 힘든 일은 더 크게 기억에 남고 즐거운 일은 너무 사소해 기억 저편 멀리 있다. 물론 나도 사회생활을 하면서 많은 실수와 잘못한 행동이 분명히 있다. 동료끼리 상사를 흉보고 회사에 불만을 품고 소심하게 반항한 적도 있다. 일은 적당히 하는 것으로 만족하고 연봉을 더 올려주기만 기다리기도 했다. 직장생활은 전이나 지금이나 앞으로도 쉽지 않을 것이다. 누구에게나 그렇다. 그럼에도 그 안에서 성장하는 사람들이 분명히 있다.

4. 상사, 그 불편한 존재에 대한 고찰

상사는 무조건 나쁘고 어렵고 눈치주는 존재만은 아니다. 나쁜 상사도 만나봤지만 좋은 상사를 만나보니 오히려 상사 덕분에 회사생활을 버틸 수 있었다. 배울 점 많은 상사도 있고 마음 따뜻한 상사도 많다.

세상에는 별의별 사람이 다 있다. 사회생활을 하다보면 더 절실히 그 말을 느낀다. 상사가 힘들게 한다면 한 번쯤 본인이 상사가 되는 상상을 해보길 바란다.

실제로 상사들은 많은 책임을 져야 한다. 예민하지 않을 수 없다. 부하직원이 일을 못하면 그 피해는 고스란히 자신에게 돌아온다. 엄청난 중압감을 받으며 사는 사람들이다.

어쩌면 부하직원보다 상사가 더 힘든 직장생활을 하고 있는지도 모른다. 상사에게서 인정받기보다 부하직원에게서 존경받는 것이 더 어렵다는 말도 있다. 회사를 위해 악역을 맡아 해야 할 때가 많으니 부하직원에게서 존경받기란 쉽지 않다. 함께 성장하는 존재로 수평적 인간관계라면 훨씬 좋겠지만 그것도 쉽게 바뀌지 않을 것 같다.

대부분 사람들은 내 편도 아니고 내 적도 아니다.
자신을 좋아하지 않는 사람들은 있게 마련이다.
모두 자신을 좋아하길 바라는 것은 지나친 기대다. _**리즈 카펜터**

시간이 흘러 나도 부하직원이 생기니 상사들의 마음이 조금은 이해됐다. 아무리 가르쳐주고 이끌어줘도 아무 발전이 없다. 그것은 본인이 전혀 노력을 안했다고 할 수밖에 없는데 그런 부하직원을 예뻐할 수는 없었다. 답답했지만 부하직원이 일을 못하면 내 책임이 되므로 모른 체할 수도 없다. 본인이 노력하고 먼저 다가가는 것도 부하직원이 할 일이라고 생각한다.

회사가 유치원도 아니고 무조건 사랑으로 감싸줄 수는 없다. 냉정한 말이지만 직장은 사회다. 상사나 부하직원과의 관계로 고민한다면 두 가지만 꼭 기억하길 바란다.

상사는 부하직원을 이유 없이 예뻐해 줄 의무가 없는 사람들이다. 인정받고 원만히 지내고 싶다면 우선 맡은 업무를 멋지게 해내길 바란다. 그것만으로도 상사의 어깨에 놓인 짐을 조금 덜어줄 수 있다.

그런 다음 할 말이 있다면 하자.

색안경을 끼고 보지 말고 자신의 잣대로 상대방을 판단하지 말자. 술을 안 마시는 나는 술마시고 지각하고 술냄새 풍기는 사람들을 싫어했다. 하지만 내게 큰 피해만 주지 않는다면 그냥 넘겼다. 그 사람은 그렇게 스트레스를 풀어야 하나보다 생각했다. 이직해도 모두 마음에 드는 사람들을 만날 수는 없다. 오죽하면 '회사 또라이 질량보존의 법칙'이라는 말까지 있겠는가.

또라이들을 가엾게 봐주는 보통사람이 되자. 또라이는 되지 말자.

5. 퇴사 회고록

직속상사와 함께 세 번째 회사를 퇴사했다. 내가 믿고 의지했던 상사가 퇴사하기 때문에 내린 결정은 아니었다. 더 이상 배울 것이 없었다. 회사에서는 또 한 번의 승진과 연봉인상이라는 달콤한 조건을 제시했지만 거절했다. 처음으로 제대로 퇴사했다는 생각이 들었다.

첫 번째 회사는 그만두고 싶은 생각이 전혀 없었는데 회사 이전으로 어쩔 수 없이 헤어져야 했다. 두 번째 회사는 낙하산 입사라는 꼬리표가 싫었고 외로움을 견디기 힘들어 퇴사했다. 세 번째 회사야말로 적당히 일하고 돈 버는 평범한 직장생활을 했고 더 이상 배울 것이 없어 퇴사한다는 흔한 코스를 밟았다.

함께 퇴사하고 나오면서 직속상사와 식사했다. 상황을 모르는 것은 아니지만 계속 일만 하지 말고 조금 휴식을 취하길 권했다. 솔직히 나도 그러고 싶었다. 친구들처럼 여행도 다니고 백수생활도 해보면서 여유로운 시간을 즐기고 싶었는데 현실은 불가능했다. 지금 생각해보면 상사의 조언대로 바로 그때 쉼표를 한 번 찍었어야 했다. 그때 제대로 쉼표를 찍었다면 다음 직장생활이 달라졌을지도 모른다. 물론 나 자신도 달라졌을 것이다. 일이 필요한 만큼 휴식도 필요하다. 브레이크가 고장난 자동차처럼 멈춰야 할 때 멈추지 못하면 사고가 난다.

천천히 인생을 즐겨라.
빨리 갈 때 놓치는 것은 경치뿐만 아니라
당신이 어디로 가는지, 왜 가는지에 대한 통찰이다 _**에디 캔터**

무턱대고 숨차게 달리는 것만 능사가 아니다. 나는 마음의 여유가 없었다. 항상 생활비와 모든 것을 혼자 해결해야 해 팍팍한 삶이었다. 가끔 쉼표 하나씩 찍어주는 여유가 필요했는데 전혀 찍지 못했다. 잠시 멈추는 것은 불안했고 다시 시작할 수 없을까봐 자신이 없었다. 잠시 쉬는 동안 돈이 없을까봐 걱정했고 하루를 쉬면 돈을 못 버는 무능한 사람이 되는 것 같았다. 그렇게 돈의 노예가 됐다.

쉼표를 찍어야 인생의 더 큰 도약이 있음을 너무 늦게 알았다.

쉼표는 끝이 아니다. 새로운 시작이다. 쉬면서 충전해야 할 때는 잠시라도 쉼표를 찍자. 그래야 나중에 지쳐 쓰러지지 않는다. 혹시 나처럼 경제적 이유로 쉬는 것이 불안하다면 단 일주일이라도 휴식을 취하자. 그 휴식이 인생의 방향을 바꾸는 좋은 기회가 될지도 모른다.

요즘은 쉼표를 찍는 것을 대부분 여행을 다녀오는 것으로 생각한다. 굳이 해외에 나가지 않아도 나에 대한 생각을 충분히 할 수 있다. 여유가 된다면 여행도 좋겠지만 사정이 여의치 않다면 고요히 생각에 잠기는 시간만 가져도 휴식이 된다. 우리는 충분히 휴식할 자격이 있다. 오직 나를 돌아보고 생각하는 시간이 꼭 필요하다.

제3장

사장님!
얘기 좀 합시다!

한동안 매일 직장생활 관련 책을 읽으며 지냈다. 직원들이 읽어야 할 책과 경영자가 읽어야 할 책 모두 읽었다. 지금까지 남 밑에서 일하는 직원으로만 살았다. 경영자의 마음을 모르니 책에서나마 간접적으로 알고 이해해보고 싶었다. 내가 할 수 있는 최선의 노력이었다. 읽으면 읽을수록 잘못되고 있음을 느꼈다. 나는 직원도 아니고 경영자도 아니었다. 회사의 모든 일을 떠맡고 잘못됐을 때 뒤집어쓰는 정체 모를 사람이 되어 있었다.

부하의 잘못을 자신의 책임으로 돌리는 사람은 훌륭한 리더다.
어리석은 리더는 자신의 잘못까지 부하의 책임으로 돌린다.
_주세페 마치니

1. 무관심

기업 경영자와 관련된 부실징후 유형은 여러 가지가 있다.

기업 경영자가 겉치레에 치중하고 화려한 생활에 집착하는 기업, 경영자의 출근시간이 일정하지 않은 기업, 경영자가 매사 직원들에게 미루는 기업, 사원 복지시설에 관심이 없고 직원교육을 통한 업그레이드에 신경쓰지 않는 기업, 복지혜택 및 자기계발 지원에 무관심한 기업이다.

사장님은 항상 직원들을 믿는다는 말로 얼렁뚱땅 넘어가는 경우가 많았다. 자신이 일궈놓은 기업에 무관심하면서 돈만 많이 벌겠다는 생각은 분명히 잘못된 의식이다.

사장님의 머릿속은 항상 돈으로 가득 차 있었다. 회사 상황과 상관없이 더 고급차로 바꾸고 싶어 했다. 차를 바꿔야 하니 돈 좀 많이 벌라는 말도 서슴지 않았다.

직원은 회사의 부속품이고 사장의 차를 바꿔주는 존재라는 말을 들은 적 있다. 내가 그런 존재라고 생각하니 씁쓸했다. 경영자의 과욕과 허영은 기업 경영에서 합리적인 판단을 할 수 없게 만들었다. 다른 모든 것에 무관심했고 돈만 쫓는 모습을 존경할 수 없었다. 회사를 사적 소유물로 생각하고 지나친 욕심을 부리면 기업도 성장하지 못하고 주변 사람도 떠나게 된다.

우리 회사는 너무 강한 부실징후가 나타났다. 버티고 있는 것이 신기했다. 직원들이 회사에서 보내는 시간은 보통 9~10시간이다. 매일 많은 시간을 보내는 공간에서 무엇보다 관심 가져야 할 대상은 사람 바로 직원이다. 결국 회사를 이끌어 나가는 것도 모두 사람이 하는 일이다.

모든 것을 좋게만 보는 자도
모든 것을 나쁘게만 보는 자도 믿지 말고
모든 것에 무관심한 자는 더더욱 믿지 말라. _**요한 K. 라바터**

모든 일에 무관심한 경영자는 무능력해보이기도 했다.

자신의 일에 자부심을 갖고 열심히 노력하며 최선을 다하는 모습을 보고 싶었다.

직원들에게 간섭하거나 지시만 내리지 않고 작은 관심이라도 가져주길 바랐다.

기업 경영자는 돈만 가져가는 사람이 아니다. 직원도 회사에 무조건 돈을 벌어다주는 기계가 아니다. 경영자와 직원이 취약한 부분을 상호보완할 수 있는 관계가 최상의 조합이다.

그렇게 되면 업무능률도 오르고 부가적인 요소들은 자연스럽게 따라올 것이라고 믿는다.

한쪽에 지나치게 의존하지 말고 본인이 해야 할 일은 책임감을 갖고 하자.

기업에게 돈이 중요하지 않을 수는 없지만 전부는 아니다.

무엇보다 사람이 먼저다.

2. 직원의 마음을 아시나요?

소통이 안 되는 사장님과의 대화는 여러 모로 답답한 것이 많았다. 막무가내로 말을 자르고 상대방의 말은 듣지도 않으셨다. 가끔 말도 안 되는 일을 지시하기도 하셨다. 사장님 덕분에 거짓말이 많이 늘었다. 시키는 대로 거짓말을 해야 하다보니 점점 자연스러워졌다. 그러다 사기꾼이 될 것만 같았다. 직장생활에서 실력이 느는 것은 거짓말뿐이었다. 나중에는 아무 죄책감도 없이 자연스럽게 거짓말하는 나 자신이 너무 싫었다.

말도 안 되는 일을 지시하는 것 중 쓰레기 관련 일도 있었다. 과장님은 그리 깔끔한 성격이 아니다. 책상도 지저분했고 걸어 다니면서 쓰레기를 자연스럽게 아무 데나 버렸다. 택배를 받자마자 그 자리에서 뜯으면서 쓰레기를 바닥에 버렸다.

그러다보니 사무실 바닥에 쓰레기가 뒹구는 날이 많았다. 내가 하루 종일 과장님만 보고 있는 것도 아니고 바닥만 보고 있을 수도 없었다. 못

치우거나 늦게 치울 때도 있었는데 사장님은 볼 때마다 바닥에 100% 아무 것도 없길 바라셨다. 그렇다면 내가 내 업무를 미루고 하루 종일 누가 쓰레기를 버리는지 지켜봐야 했다. 직원들을 감시하고 쓰레기만 계속 줍고 다닐 수는 없다고 말씀드렸다.

사장님은 내게 과장님 뒤를 따라다니면서 쓰레기를 주우라고 했다. 과장님은 원래 지저분해 그렇게 해줘야 한다는 이유였다. 그렇다면 나는 원래 그렇게 쓰레기를 주워줘야 하는 사람인지 물었다. 당연하다고 했다. 사무실 총관리가 내 업무라는 이유였다.

더 이상 말이 안 통해 작정하고 시키는 대로만 했다. 내 업무보다 과장님만 졸졸 따라다니며 쓰레기를 주웠다. 과장님이 일어나면 나도 일어났고 택배기 도착해 받으면 그 뒤에 서있었다. 융통성 따위는 생각하지 않고 사장님의 지시대로만 로봇처럼 행동했다. 불편을 느낀 과장님이 왜 이러냐고 해도 사장님의 지시이므로 어쩔 수 없다고 했다.

결국 과장님은 불편함을 참지 못하고 사장님께 이러지 마시라고 직접 말씀드렸다. 나도 쓰레기 줍기에서 해방됐다.

사장님은 내가 전화를 받고 있어도 아무렇지 않게 내게 지시를 내렸다. 분명히 통화 하는 것도 보이고 들릴 텐데 앞뒤가 없었다. 지금 자신이 지시내려야 하면 곧바로 내렸다. 통화에 집중해야 하는지, 사장님 말씀에 집중해야 하는지 둘 다 집중하기 힘들고 불안했다. 전화를 급히 끊으면 전화를 그렇게 끊는다고 핀잔하고 사장님 말씀에 집중하지 못하면 집중을 안 한다고 '버럭'하시니 어느 장단에 춤춰야 할지 난감했다. 몸이 여러 개여야 가능한 일이었다. 보통사람으로서 불가능한 일을 아무렇지 않게 말씀하실 때는 초인이 되어야 하나 고민한 적도 있다. 이런 고민을 하게 되다니 어이없었다.

'도대체 어쩌라는 거야?'직장생활을 하며 속으로 가장 많이 했던 말 중 하나였다.

리더가 되고 싶다면
강해지되 무례하지 않아야 하고
친절하되 약하지 않아야 하며
담대하되 남을 괴롭히지 않고
사려깊되 게으르지 않고
겸손하되 소심하지 않고
자신감을 갖되 거만하지 않고
유머를 갖되 어리석지 않아야 한다. _**짐 론**

시대가 원하는 리더는 사람들이 원하는 형태로 계속 변하고 있다.

훌륭한 리더는 자신의 능력만으로 일하지 않는다. 직위와 권력을 이용하지 않고 직원에게 능력을 발휘할 기회를 준다. 무엇보다 소통과 협력을 갖춘 리더가 중요한 시대가 됐다.

소통부재가 지속되면 기업은 여러 어려움을 겪는다. 조직이 소통하지 않으면 좋은 결과를 내기 힘들다. 쌓이는 불신으로 조직원은 리더를 존경하지 않고 리더는 이기적인 방법으로 조직을 이끌게 된다. 대화만 한다고 소통이 되는 것도 아니다. 적극적으로 소통의 장을 만들고 조직원들의 목소리에 귀기울여주는 리더가 존경받는다. 무엇보다 조직원들에게 동기를 부여할 수 있는 소통 실천이 중요하다.

3. 네 번의 사표

나는 마지막 직장에서만 네 번이나 사표를 썼다. 단 한 번도 수리되지 않은 사표였다. 수리되지 않는 이유를 이해할 수 없었다. 네 시표를 안 받아주는 분명한 이유가 없었다. 언제나 그랬듯이 사장님은 대충 넘겼다. 단 한 번도 진지하게 들으려고 하지 않았다. 내 의견은 무엇이든 무시했다.

첫 번째 사표는 화재사건 직후였다. 위급 상황에서도 회사만 걱정하고 내게 회사는 어쩌고 퇴근하냐고 물었던 사장님과 함께 일할 수는 없었다. 최소한의 인간적인 대우조차 해주지 않는 곳에 머물 이유가 없다고 생각했다. 앞에서 말했듯이 나는 내 목숨 바쳐 회사를 지켜야 하는 사람이 아니다. 한마디 사과라도 있었다면 사표까지는 쓰지 않았을 텐데 아무 말 없이 회사만 괜찮은지 시종일관 물어보는 사장님을 보며 함께 할 상사가 아니라고 생각했다.

사표를 받은 사장님은 읽은 후 서랍에 넣고 아무 말 없이 나가셨다. 적어도 왜 그러는지 무슨 일이 있는지 물어볼 줄 알았는데 급히 나가시기에 나도 아무 말 하지 않았다. 나중에 알게 된 사실은 그 날도 골프치러 가야 하는데 책상 위에 뭔가 올려져 있어 읽어보고 그냥 나간 것이다.

퇴근 10여 분 전 전화가 왔다. 사장님이었다. 앞뒤가 없다. 다짜고짜 계속 다니라고 했다. 내가 무슨 말만 꺼내면 말을 자르고 그냥 다니라는 말만 반복했다. 그것도 대충 귀찮다는 듯 말하고 끊었다. 황당했다. 무슨 경우인지 나를 우습게 보는 것 같기도 했다. 하찮은 일 처리하듯 사장님은 그렇게 내 사표를 무시했다.

다음 날 결근을 심각하게 고민했다. 과감히 나가지 말았어야 했는데 그러지 못했다. 그 놈의 책임감이 뭔지 어쨌든 잘 마무리하고 정리하고 나오고 싶었다. 직장동료들과 후임자에게 책임감 없는 사람으로 기억되기 싫었다.

며칠 동안 사장님은 나를 피했다. 직원이 대화를 시도할 때 요리조리 피하는 모습이 좋아 보이지 않았다. 대화 자리를 마련하기는커녕 도망다니기 바빴으니 전혀 어른스럽지 않았다. 그렇게 사장님의 뜻대로 얼렁뚱땅 내 첫 번째 사표는 없던 일이 됐다.

두 번째 사표는 고무장갑과 앞치마에서 벗어나고 싶어서였다. 추운 겨울날 집기를 닦느라 한창 예쁠 나이에 예쁜 옷을 입고 출근할 수 없었다. 항상 내 출근 복장은 버려도 되는, 아깝지 않은 옷을 입어야 했다. 손에는 고무장갑, 옷에는 앞치마를 입는 날이 늘어갔다. 내 모습은 초라했고 감기를 달고 살았다. 몸도 안 좋아지고 병원비가 많이 나가면서 더 이상 이렇게 살면 안 되겠다고 생각했다.

두 번째 사표를 써 사장님께 드렸다. 예상했다는 듯 놀라지도 않으셨다. 처음에는 뭔지도 모르고 그냥 넘어갔지만 이번만큼은 반드시 그만두겠다고 굳게 다짐했다.

다음 날 사장님은 나오지 않았고 사표는 사장님 책상에서 뒹굴고 있었다. 사징님은 무슨 생각일까, 내가 그만두지 못할 거라고 생각해 무시하는 건가, 도대체 사장님의 행동을 이해할 수 없었다. 직원이 사장님을 피해 다니면 모를까 왜 사장님이 나를 피하는지 답답했다.

회사에 나오지 않던 사장님이 전화를 하셨다. 지나치게 친절하고 다정해 소름끼쳤다. 다른 사람 같았다. 자신이 놀러 다니기 편하려면 나를 붙잡아둬야 하니 사장님은 작전을 바꾸셨다. 나는 전화로 다시 말씀드렸다. 이번에는 사표를 수리해달라고 자꾸 미루지 마시라고 말하고 끊었다.

이틀이 지나고 사장님이 나오셨다. 사무실에 뛰어 들어오더니 필요한 것만 챙겨 곧바로 뛰어나가셨다. 이것은 또 무슨 경우인지 어떻게 대처

해야 하는지 황당함의 연속이었다.

과장님은 사장님과 오래 일했기 때문에 사장님에 대해 잘 알고 있었다. 내가 성실히 자리를 잘 지키고 있으니 일을 맡겨놓고 나가기 편해 놔주지 않을 것 같다고 했다. 노예계약도 아니고 정식으로 사표 쓰고 인수인계까지 마치고 나가겠다는데 사장님은 대화조차 안 하고 피해 다니기만 했다. 기업대표가 이런 식으로 일처리하는 것을 본 적도 들은 적도 없다.

사장님의 소원대로 두 번의 사표는 없던 일이 됐다. 결국 자의에 의한 퇴사는 힘들 것 같았다. 그렇다고 고의로 사고를 쳐 해고당하자니 그럴 만한 성격도 못 되었다. 더 단호하지 못하고 질질 끌려 다니는 나도 답답하고 피하기만 하는 사장님도 답답했다. 사표를 썼는데 계속 수리해주지 않으니 무작정 출근하지 말라는 사람도 많았다. 그랬으면 어떻게 됐을지 모르겠다. 마무리를 잘하고 내가 했던 일에 책임지려고 결국 단 한 번의 일탈도 없이 출근했다.

세 번째 사표는 기다리고 기다리던 '어쩔 수 없이 그만둬야'하는 상황이었다. 어느 날 사장님이 우연히 보고 온 다른 지역의 큰 빌딩이 마음에 들었나보다. 거기로 이사 가자고 제안하셨다. 이번에도 직원들과 한마디 상의도 없이 혼자 푹 빠져 통보했다. 다른 직원들은 '그러려니'라는 눈치였다. 이사 가면 나는 출퇴근이 복잡해져 다닐 수 없었다. 절호의 기회라고 생각했다.

나는 사장님께 더 좋은 곳이니 이사 가시라고 했다. 그 대신 출퇴근이 힘들어 어쩔 수 없이 그만둬야겠다고 말씀드렸다. 사장님은 이번에도 묵묵부답이었다.

나는 이미 퇴사가 결정된 것 같은 기분에 홀가분했다. 이번에는 내가 퇴사하겠다고 한 것도 아니고 사장님이 꼭 이사를 가겠다고 고집을 꺾지 않으셨으니 방법이 없었다. 설마 나 하나 때문에 이사를 안 간다고 하진 않을 테고 이제 해방이라고 생각했다.'어쩔 수 없이 그만둬야'하는 상황이 기쁜 적은 처음이었다. 마음속으로 몇 번이나 '야호!'를 외쳤는지 모른다. 사장님의 입에서 정리하라는 말이 떨어지기만 기다렸다. 이사 날짜는 다가오는데 평소와 똑같았고 아무 말씀이 없었다.

또 한 번 사장님 독단적인 결정이 내려졌다. 나를 그만두게 할 수는 없고 사장님이 차로 출퇴근시켜준다고 했다. 물을 마시다가 사래가 걸렸다. 출퇴근까지 내 마음대로 못하는 완전 감옥생활을 하라는 건가? 더구나 사장님은 술마시고 놀러 다니느라 회사에 나오지 않거나 늦게 나오는 날이 많았다. 믿음도 안 갔지만 말도 안 되는 제안이었다. 단칼에 거절했다.

아무리 나를 노예처럼 묶어두려고 해도 출퇴근 시간 자유까지 뺏기고 싶지는 않았다. 아침부터 일 얘기로 시작해 퇴근길에도 일 얘기를 해야 할 고통이 뻔했다.

하루 뒤 또 한 번 혼자만의 결정을 내린 사장님의 통보를 들었다. 대중교통을 이용하면 출퇴근이 오래 걸리고 힘들겠지만 고속도로를 이용하면 빠르니 차를 사준다고 했다. 15년 연식의 130만 원에 구입할 수 있는 경차를 뽑았다. 보기만 해도 불안한 차였다.

해방될 것을 예상하고 후련했던 마음이 더 답답해졌다.

"저 그만둔다니까요. 도대체 왜 이러세요?"

참고 참다가 터진 내 말에도 사장님은 요지부동이었다.

"에이, 왜 그래. 그냥 다녀. 나 나갔다 올게."

분명히 눈에 보이진 않지만 감옥이었다. '창살 없는 감옥이 이런 것이구나.' 실감했다. 두 손 두 발 모두 들고 포기했다. 아무리 얘기해도 벽에 대고 말하는 것과 같았다.

최고의 대화 방법은 듣는 것이다. _**스테판 폴란**

기(氣)막히게 만드는 귀(耳)막힌 사람

살다보면 가끔 이런 사람들을 만나곤 한다. 상대방의 감정을 전혀 개의치 않는 사람, 심각한 일을 아무렇지 않게 계속 넘기는 사람, 아무리 얘기해도 귀가 안 들리는지 의심스러운 사람, 불통도 이런 불통이 없다. 소통이 안 되는 것이 아니라 아예 소통할 생각조차 없는 사람을 어떻게 상대해야 할지 모르겠다. 더구나 직장에서 만난 상사와 불통이라면 직장생활하는 데 어려움이 생길 수밖에 없다. 직장 내 소통단절은 근무의욕을 꺾고 나의 정서에도 큰 영향을 미친다.

직장은 거의 매일 오래 머무는 공간이므로 원활하지 못한 소통은 큰 스트레스로 다가온다. 소통은 배우고 노력할 수 있지만 불통은 노력한다고 되는 것이 아니다. 그래서 더 어렵다. 불통과 단절의 직장문화가 소통과 화합의 문화로 바뀌길 소망한다. 간절히.

4. 여자, 결혼, 성공적

1월 2일 새해 첫 출근 날이었다. 작심삼일! 대부분 사람들은 새해 계획이 사흘 안에 무너진다. 사장님은 항상 작심 3시간을 못 넘겼다. 새해부터 회의시간도 늘리고 열심히 해보자더니 첫 날부터 늦었다. 일찍 출근하겠다는 사장님의 말을 믿는 직원은 없었을 것이다. 그 말을 믿었다면 다른 직원들도 지각하진 않았을 테니까.

새해 첫 출근 날 사장님이 내게 덕담을 하신다고 했다.

" 어떡하냐. 시집도 못 갔는데 나이 한 살 더 먹어서? 하하하하!"

새해 덕담으로 직원에게 완전히 생각 없는 말을 내뱉었다. 그때 내 나이 29살이었다.

나는 결혼을 일찍 하고 싶진 않았다. 결혼 못해 안달이 난 것도 아니었다. 눈치도 없고 생각도 없고 내뱉으면 말인 줄 아나? 상사만 아니라면 덕담해줄 말은 내가 더 많았다.

사장님은 평소에도 여자는 시집만 잘 가면 끝이라는 말을 입에 달고 살았다. 여자가 시집만 잘 가면 왜 끝인지 모르겠지만 그 기준이 더 기막혔다. 사장님 기준에서 결혼한 후 여자가 골프치러 다니면 성공한 결혼이다. 인생에서 성공 기준은 돈, 놀고 먹는 것, 골프 세 가지라고 했다. 그럴 듯한 남자 잡아 골프치러 다니라는 말을 자주 들었다. 그런 얘기를 들을 때마다 한심했다.

그 후로도 시집 얘기는 가끔 하셨다. 시집 얘기보다 그 뒤에 붙는 말이 더 싫었다.

"시집가도 회사는 그만두면 안 된다."

그럴 때마다 나는 노예로 잡혀 있는 기분이었다. 나가고 싶은데 나가지 못하고 손발이 묶인 기분이었다.

새해 첫 근무 날이라고 사장님께서 다함께 점심먹자고 하셨다.

아침부터 기분 상하는 말을 들어 함께 먹고 싶지 않았다. 굳이 점심시간까지 불편하게 꼭 그래야만 하는지 모르겠다. 동료들이 끌고 가 어쩔 수 없이 함께 가게 됐다.

조금 늦게 나온 탓에 어느 식당에 가도 줄을 서서 기다려야 했다. 10여 분을 기다린 끝에 우리 차례가 왔다. 들어가 자리를 잡고 음식을 주문했다. 음식을 기다리는 동안 사장님의 돈 욕심이 또 시작됐다. 점심시간에 식당들을 보면 이렇게 줄서서 기다리고 장사가 잘되니까 우리 사무실 옆에 식당을 오픈하고 싶다고 했다. 인건비를 줄이는 방법으로 우리 직원들이 근무하다가 점심시간이 되면 식당에서 서빙해야 한다는 말을 너무 당연하게 했다.

그 말에 아무도 호응해주지 않았다. 고개만 푹 숙인 채 음식이 나오기만 기다렸다. 직원들의 마음은 무시하고 사장님은 계속 식당을 차려 돈을 벌어야 한다고 열변을 토했다. 나를 콕 집어 서빙 좀 하라고 했다. 싫다고 했다.

"서빙을 왜 안 해? 해! 서빙 아주 잘하게 생겼는데!"

사장님은 또 한 번 내게 비수를 꽂았다.

살다 살다 별소리를 다 듣는다. 서빙 잘하게 생겼다는 말은 처음 듣는 말이었다. 이번에도 참아야 하나 고민했다. 고민하는 찰나 B 부장이 사장님께 큰소리로 말했다.

"서빙 잘하게 생겼다는 말이 무슨 뜻입니까? 저희 모두 들었습니다. 또 얼렁뚱땅 넘어가려고 하지 마세요. 그럼 서빙 잘하시는 분들은 어떻게 생긴 겁니까? 사장님의 그 말씀은 서빙하는 분들까지 모두 무시하는 겁니다."

B 부장의 사이다 발언으로 내 속의 기름때가 모두 씻겨 내려갔다. 때마침 주문한 음식이 나왔고 사장님은 아무 말도 못했다.

아무 말 없이 밥만 먹는 조용해진 식사자리. TV 홈쇼핑이 나오고 있었다. 사장님은 또 한 번 정적을 깼다.

"조 대리는 명품가방 없지? 안 사고 싶나? 이제 나이도 있는데 저런 가방 갖고 다녀야 폼나지."
"관심 없어요."
"저런 거 사줄 남자를 만나든가."
"왜 남자가 사줘요. 필요한 것은 제가 사면 되죠."
"명품가방 살 능력 돼? 돈 많이 모아놨나 보네?"

이 식사자리는 정말 피했어야 했다. 밥이 입으로 들어가는지 코로 들어가는지 몰랐다. 뱃속도 열 받았는지 심하게 부글거렸다. 우리 대화를 옆 테이블이나 일하시는 분들이 들을까봐 창피했다.

"당신이 무슨 상관입니까? 뭐 보태준 거 있어요? 나는 당신처럼 살고 싶지 않아요! 이 회사에 와 내 인생 다 망쳤어요!!!"라고 외치고 싶었는데 이놈의 을(乙)의 지위는 모든 용기를 빼앗아간다. 내 잘못이 아니어도 고개 숙이게 되는 이상한 운명이다.

여자는 19살에 매력적일 수 있고
29살에는 상대방을 사로잡을 수 있다.
하지만 여자는 39살이 되어서야 비로소 감히
거부할 수 없는 절대적 매력을 발산한다.
여자는 그 후로도 절대로 39살 이상의 나이가 되지 않는다. _**코코 샤넬**

나는 내 인생에서 가장 아름다운 날은 아직 오지 않았다고 생각한다. 그리고 가장 아름다운 날 나를 빛내주는 것은 나이와 명품가방이 아니라고 믿는다. 다행인지 명품이 무엇이 좋은지도 잘 모른다.

거부할 수 없는 절대적인 나만의 매력을 발산할 때 그것을 나이와 명품가방이 대신 해준다면 과연 나의 매력일까?

몇 살이든 무엇을 갖고 다니든 나 자신만으로도 충분히 아름다운 사람이 되고 싶다.

5. Drop the 방귀

사장님의 방귀냄새가 처음부터 고약하진 않았다. 그리고 실수라고 생각했다. 시간이 지나면서 실수가 아니라 일상임을 알게 됐다. 사무실에서 엄청난 독가스를 뿜어내면 손은 저절로 코를 향했다. 냄새를 조금이라도 피하려면 코라도 막아야 했다.

초반에는 사장님의 건강을 걱정하는 척하며 말씀드렸다.

"어디 안 좋으신 거 아니에요? 검사받아보시고 건강에 신경 좀 쓰셔야죠."

너무 좋게 돌려 말한 건지 사장님은 그냥 흘려 들었다.

앉으나 서나, 회의시간이나 걸어 다닐 때나 점점 방귀 횟수가 늘었다. 누가 소리나는 방귀는 냄새 안 난다고 했는지 찾아내 따지고 싶다. 소리와 냄새 모두 나는 방귀도 있다.

불쾌했지만 별 방법이 없었다. 막는다고 안 나오는 방귀도 아니고 사장님도 조절할 마음이 전혀 없어 보였다. 우리는 배우 문정혁이 그의 출세작 '불새'에서 남긴 명대사를 패러디하며 웃어넘기기도 했다.

"어디서 타는 냄새 안나요? 지금 내 마음이 불타고 있잖아요."를

"어디서 썩는 냄새 안나요? 사장님이 배출했잖아요."로 바꿔 낄낄댔다.

모두 포기하고 즐기는 경지에 올랐던 것은 여기서 더 심해질 수 있다는 생각을 못했기 때문이다. 여러 번 말씀드려도 달라지는 것은 없었고 트림과 방귀를 마음대로 해결하고 사니 그렇게 생각할 만했다.

그러나 항상 내 예상을 초월하는 말로 기막히고 코 막히게 했던 사장님은 이번에도 마찬가지였다. 도대체 뭘 먹었는지 날이 갈수록 냄새는 고약해졌다. 장난으로 웃어넘길 수 없을 만큼 헛구역질이 나온 적도 있었다. 방귀를 뀌는 건지 싸는 건지 견디기 힘들었다. 뭐라고 한마디 소리치고 싶었는데 입도 열기 싫었다. 욕을 듣는 것도 욕하는 것도 너무 싫어하는 내가 욕이 목까지 차올랐다. 냄새는 왜 그렇게 길고 강한지 입과 코에서 손을 떼는 것도 몇 분이 걸렸다.

한창 일이 몰려 바쁜 어느 날 다행히 사장님도 출근하셨다. 사무실 여기저기를 서성이더니 일에 대해 과장님과 대화하시려고 내 자리 옆에 서계셨다. 하필 그때 또렷한 소리와 함께 독가스를 배출했다. 바로 내 옆에서.

그래놓고 웃으셨다.

"아이고, 방귀가 왜 여기서 나오나. 소리가 너무 컸네. 하하하!"

나는 결국 폭발했다.

"사장님, 제가 여러 번 말씀드렸잖아요. 검사 좀 받아보시라고요. 냄새가 어휴. 이 정도면 어디 안 좋은 게 분명해요. 보통 냄새도 아니고 모르시진 않잖아요? 조심하는 대상이 없으면 방귀소리가 커진다던데 직원들도 사람이에요. 기본적인 에티켓은 좀 지켜주세요."

"방귀 좀 뀌었다고 뭘 그렇게 정색하나. 생리현상은 어쩔 수 없어. 나이 먹으면 다 그래. 조 대리도 나이 먹으면 다 똑같아져."

"보통 나이 먹을수록 오히려 더 감추고 산다던데요. 견딜 수 없어 가끔 실수하는 것도 아니고 너무 대놓고 뀌시잖아요."

"거 참, 내가 내 회사에서 방귀 좀 뀌는 게 뭐가 잘못됐다는 거야?"

"방귀는 메탄가스여서 인화성물질인데요. 방귀에 불을 붙이면 불꽃이 튄대요. 그런데 사장님 방귀에 불붙이면 여기 화재날 것 같아요. 나이 먹으면 다 그렇다고 하셨는데 괄약근운동 좀 하세요. 괄약근작용이 약해지면 밀려오는 기운을 막지 못해 자꾸 실수할 수 있대요. 운동하면 좋아진다던데요?"

"조 대리, 방귀 박사였네."

순간 사무실에 웃음이 터졌다. 웃음소리가 들리고서야 '아차'실수를 깨달았다. 방귀에 대해 왜 그렇게 진지하게 말했는지 얼굴이 화끈거렸다.

조용히 자리에 앉았다. 모니터만 뚫어지게 쳐다보며 일에 집중했다. 평소보다 스트레스를 많이 받은 날도 아니었고 특별한 일도 없었다. 그동안 쌓인 것이 사장님의 방귀에 터졌나보다. 그런데 하필 터져도 방귀에서 터지다니. 지식 자랑을 해도 좀 그럴 듯한 것으로 했으면 전문가로 보였을 것이다. 그 많은 주제들 중 하필 방귀로 지식 자랑을 했다.

오래 전 누군가에게서 들은 내용이다. 말해준 사람이 누군지 기억나지 않는다.

방귀 이론을 매우 재미있게 얘기해줘 잊히지 않았다. 기억하려고 했던 것은 아닌데 머리에 쏙쏙 들어오게 설명해줘 시간이 지나도 기억에 남았다. 오죽하면 누가 얘기해줬는지는 모르는데 그 내용은 잊지 않고 있었을까. 그때 들었던 얘기 중 사장님께 차마 못했던 말도 있다.

'절제하지 못한 항문 구멍은 염치없다'는 말을 듣고 눈물나게 웃었던 기억이 난다. 또 하나, 위에 터진 입에서는 자유롭게 자신의 의사를 표현하는 소리가 커지고 아래로는 터진 근육의 자유로운 소리로 자신있는 자신의 연륜을 자랑하듯 함부로 뀌어대는 행위는 경건함이 사라진 서운한 행위라고 했다.

이왕 말하는 김에 모두 알려드릴 걸 그랬나보다. 사장님은 그 뒤로도 변함없이 편하게 방귀를 뀌고 오히려 한마디씩 더 했다.

"아이고, 조 대리 앞에서는 방귀 뀌면 안 되는 건데 실수했네? 방귀 박사잖아. 하하하."

사장님이 나가고 옆에서 동료가 말했다.

"차라리 크게 화를 내지, 방귀 갖고 그렇게 정색하면서 조곤조곤 말하니까 웃겼어."

누군가를 웃겨줄 생각은 전혀 없었는데 사장님은 웃기만 하고 달라지지 않았다. 트림과 방귀는 계속됐고 추가로 나는 방귀 박사가 됐을 뿐이다. 평소 다른 일에는 미련할 만큼 잘 참다가 방귀에서 폭발한 내 모습을 생각하면 쥐구멍에라도 숨고 싶다. 생각날 때마다 이불을 발로 차게 만드는 일이다.

말하는 것을 개방귀로 안다.(남의 말을 시시하게 여겨 들은 척도 안 한다는 말)

사회생활뿐만 아니라 일상에서도 기본 에티켓을 잘 지키면 더 호감을 주는 사람이 될 수 있다.

에티켓이란 예의, 예절, 품위이며 상대방을 배려하는 행동이다. 혼자 있을 때는 무슨 짓을 해도 아무도 지적하지 않지만 인간은 사회적 동물이다. 다른 사람이 있을 때는 말과 행동을 조심해야 한다.

방귀는 꼭 누군가와 함께 해야 하는 행위가 아니다. 혼자 조용히 해결하길 바란다.

사무실에 '금연'을 써 붙였듯이'방귀는 나가서'도 붙이고 싶었다.

흔히 부부, 연인, 친구 사이에서 친밀함의 기준은 '방귀 튼 사이'라고 한다.

사람들마다 다르겠지만 나는 아무와도 방귀를 트지 않는다. 말을 트는 것도 어려운데 꼭 방귀까지 터야 하는지 모르겠다.

6. 월급을 지켜라

우리는 오늘도 돈을 벌기 위해 일하며 살아간다. 돈은 인생을 풍요롭게 해주고 근심을 해결해주기도 한다. 그래서 사람들이 많은 시간을 노동시간으로 보낸다. 자본주의사회에서 돈 없이 행복할 수 없다는 것은 맞다. 그렇다고 돈이 행복을 주진 않는다. 보이는 것만 쫓고 사람을 돈으로 평가하기도 한다. 모든 것을 돈으로 해결하려는 심리도 많다. 자본주의가 심해질수록 우리는 하고 싶은 일을 하며 행복하게 살기보다 돈의 노예가 되어 끌려 다니고 행복으로부터 멀어진다.

나도 돈의 노예로 살았다. 그래서 직장생활이 행복하지 않았던 것 같다. 직장 안에서 다른 행복을 찾을 만한 것도 없었다. 자아실현보다 오직 돈을 벌기 위해 직장을 다녔다. 그래서 돈보다 가치 있는 '나의 소중한 일'이라는 생각을 해본 적이 없었다. 그 와중에 돈밖에 모르는 사장님을 만났으니 보고 듣는 것이라곤 돈 뿐이었다. 생각하지 않으려고 해도 돈 얘기만 하면 아직도 사장님부터 생각난다. 지금까지 내가 만났던 모든 사람들을 통틀어 돈 욕심이 최고로 많은 분이었다.

직장생활을 할 때 그나마 우리를 버티게 해주는 것은 월급이다. 내가 일한만큼 당연히 받는 대가이고 받을 자격이 충분하다. 월급 때문에 사장과 직원이 언성을 높이는 경우는 얼마나 될까?

나뿐만 아니라 모든 직원들이 사장님에게 불만이 쌓여갈 무렵 연말 회식자리가 있었다. 회식을 앞두고 직원들끼리 미리 시나리오를 짰다. 연봉인상을 건의할 테니 옆에서 좀 도와달라는 상사와 복지에 불만 있던 직원들은 할 말을 미리 연습하기도 했다. 그렇게 준비했던 것은 20년차 부장님이 자신이 알고 있는 사장님은 절대로 연봉인상을 안 해주고 말도 듣지 않을 것이라고 했기 때문이다. 그럼에도 자녀가 점점 커가면서 부장님도 경제적으로 어려워지고 있으니 자신도 함께 말하겠다고 했다.

회식자리가 시작됐고 처음에는 조용히 먹기만 했다. 분위기를 살피며 하나둘 직원들은 각자 준비해둔 말을 시작했다. 연봉인상이라는 말이 나오자마자 사장님의 표정은 단번에 굳었다. 20년 만에 처음 연봉인상 얘기를 한다는 부장님은 그동안 주는 대로 받고 다녔다고 했다. 그러니 자신이 얘기하면 사장님이 오죽하면 저럴까 싶어 연봉인상을 해줄 것 같다고 했다. 하지만 결과는 연봉은 그대로에 그나마 조금이라도 받던 보너스를 못 받게 됐다. 연봉협상 실패야 그렇다 치더라도 보너스를 없애다니. 괘씸죄인가.

그 다음날 회사 분위기는 썰렁했다. 특별한 일이 없었는데도 직원들끼리 아무 말이 없었다. 모두 시한폭탄을 하나씩 안고 있는 것 같았다. 누구든 건드리면 터질 것 같은 불안한 상황이었다.

그때 사장님이 오셨고 대뜸 과장님 월급을 늦게 주겠다고 통보했다. 황당한 발언에 우리는 서로 쳐다만 봤다.

"다른 것은 몰라도 월급만큼은 제때 주셔야 하는 것 아닌가요?"

과장님이 이유를 물었다.

이번에도 사장님의 목소리는 당당했다.

"내가 돈이 좀 필요해서 그래. 그리고 자네는 와이프가 돈 잘 버니까 상관없잖아?"

과장님의 와이프는 서울의 모 대학병원 간호사였다. 보통 직장인들보다 조금 더 벌이가 좋다고 들었다. 그런데 그게 직장생활에서 무슨 상관인가. 와이프가 돈 잘 버는 사람은 월급을 늦게 줘도 된다는 것이 무슨 논리인지 이해할 수 없었다. 참았던 과장님의 시한폭탄이 터졌다. 회사에서 사장님과 직원이 월급 때문에 언성을 높이는 모습은 너무 황당했다. 이유는 더 황당했다. 어느 회사에서도 들어보지 못한 급여 지급 방식이었다.

손에 돈을 그렇게 많이 쥐고도 말끝마다 '돈돈돈' 하면서 돈만 찾고 원하는 사장님이 인생에서 돈보다 소중한 것을 찾지 못해 마음의 병이 든 것 같았다. 직원들의 입장에서 사장님은 세상에서 최고로 편하고 즐겁게 사는 분이었다. 더 이상 뭔가를 욕심내지 않고 살아도 충분히 넉넉한 삶이었는데도 인간의 욕심은 끝이 없다는 것을 가까이에서 직접 겪어보니 무서웠다.

'돈이 최고'라고 말하는 사람과 '돈은 죄악'이라고 말하는 사람 모두 돈에 집착하기는 마찬가지다. 돈은 중요하지만 돈에 얽매인 사람과는 삶의 즐거움을 논할 수 없다. 돈만큼 중독이 심한 것도 없나보다. 돈에 얽매인 사람은 돈밖에 안보이기 때문에 소통도 안 된다. 그래서 사장님과 소통이 그렇게 안 됐나보다. 정말 중요한 것은 돈으로 해결되지 않음에도 사장님은 돈만 많으면 된다는 생각을 바꾸지 않았다. 그러다가 돈보다 더 소중한 것을 잃으면 어쩌려는지 걱정될 정도로 돈에 심하게 집착했다.

돈으로도 살 수 없는 소중한 것들이 많다. 사람의 마음, 행복, 시간, 지식, 사랑, 건강, 가족, 경험은 아무리 많은 돈을 쥐고 있어도 살 수 없다. 돈에 눈이 멀어 너무나 소중한 것을 잃지 말라고 사장님께 꼭 말씀드리고 싶었다. 돈보다 소중한 것은 인간 본연의 가치다. 우선순위가 바뀐 채 살고 있는지 되돌아봐야 한다.

전의 나도 생계를 위해 일했지만 유명회사에서 일하고 싶었다. 내가 좋아하고 잘하는 일이 아니더라도 연봉이 높으면 싫어도 해야 한다고 생각했다. 월급을 많이 받으면 힘든 일도 참고 해야 한다고 생각했다. 그래서 내게 의미 없는 일을 했다. 연봉이 행복의 척도인 것처럼 살았다. 인생의 목표를 돈에 두고 살아가는 것만큼 어리석은 일도 없다. 돈이 많아지는 것도 아니고 개인적인 발전도 없다.

이제는 더 많은 월급을 준대도 아무 의미를 못 느끼는 일을 하며 살고 싶진 않다. 남들이 인정해주는 일이 아니더라도 의미를 느끼는 일을 하고 싶다. 내가 좋아하고 행복한 일을 하면서 먹고 사는 방법을 계속 찾는 중이다. 돈의 액수보다 어떻게 벌어 얼마나 의미 있게 쓰는가에 초점을 두고 있다.

돈이 얼마나 있어야 충분하다고 생각할까? 얼마가 있든 절대로 충분하다고 느끼진 못할 것이다.

조금만 더 벌면 달라질 것 같지만 달라지지 않는다. 더 버는 만큼 쓰면서 욕심만 늘어간다. 어떤 상황에서든 만족할 줄 아는 사람이 진정한 부자라는 말도 있다. 돈은 건강을 해치지 않는 범위 내에서 사회와 타인에게도 유익함을 주면서 벌어야 한다고 했다.

돈은 목적이 아니라 수단이다. 그럼에도 많은 사람들은 돈이 목적인 것처럼 살아간다. 사는 동안 돈은 중요하지만 가장 중요한 것이 되어서는 안 된다. 사랑, 행복, 건강, 인생의 꿈은 그런 것이어야 한다. 돈은 그 목표를 이루어주는 부가적인 존재에 불과함을 잊지 말길 바란다. 돈이 내 인생의 주인이 되는 순간 더 이상 내 인생이 아니다. 돈의 지배를 받는 삶이 시작되는 것이다. 그러니 돈에 휘둘리며 살고 있진 않은지 항상 신중히 생각하며 살아야 한다.

돈과 사랑은 같다.
그것에 집착하는 사람은
천천히 고통스럽게 죽어간다.
하지만 그것을 다른 사람에게 나눠주고 베푸는 사람은
삶이 더 윤택해진다. _**칼릴 지브란**

돈을 버는 것보다 더 중요한 것은 자신에게 근본적인 질문을 던지며 꿈과 희망을 버는 것이다. 이것이 없으면 열정도 없고 무기력해진다. 다른 소중한 것들보다 돈이 우선이면 우리 삶은 결국 공허해진다.

고작 돈만 벌기 위함이 아니라 그 돈으로 무엇을 할지가 중요하다. 똑같이 10만 원을 벌었어도 10만 원의 가치와 의미는 사람마다 다르다. 같은 말이라도 어떻게 쓰는지에 따라 격이 달라 보이듯이 돈에도 쓰는 사람의 인격이 따라다닌다.

비즈니스 세계에서 모든 사람은 돈과 경험 이 두 가지 동전을 받게 된다. 이때 경험을 먼저 취하면 돈은 자연스레 따라온다고 한다. 돈은 따라오게 만들어야지 따라가면 안 된다는 말을 많이 들어봤을 것이다. 어디를 찾아봐도 돈이 먼저라고 말하는 곳은 없다. 항상 그 다음이다. 그래서 돈은 목적이 아니라 수단이고 알맹이가 될 수 없다. 껍데기에 매달려 정말 중요한 것을 잃지 말자.

7. 고군분투 조 대리

이 날도 사장님은 나가셨고 직원들만 남았다. 사장님 아들은 일을 배워야 했는데 그 과정에서 문제가 많았다. 말이 안통하고 똥고집이 어마어마했다. 부전자전인지 대화가 안 통하는 것이 사장님과 똑같았다. 사장님과 함께 있는 것만 같았다.

할 일이 없어 심심해진 사장님 아들이 여기저기를 만지다가 뭔가 잘못 건드렸다. 사무실 전체에 전기가 나갔다. 컴퓨터로 하던 일이 어디까지 저장됐을지 생각하면 화가 치밀어 올랐다. 그래도 화낼 수 없는 사장님 아들이니 또 혼자 삭여야 했다.

사장님께 전화드렸다. 아들의 일이라면 어디서든 금방 날아오셨다. 어둡고 추워 일도 못하고 있는 직원들 앞에서 사장님의 아들 감싸기는 여전했다. 이번에도 핑계는 코미디였다.

"우리 아들이 인문계 고등학교를 나와서 다른 것은 몰라. 사람이 실수할 수도 있지."

이런 상황에 인문계 고등학교가 무슨 상관인지 이해할 수 없었다. 어떤 상황에서든 아들을 감싸려고 내뱉는 사장님의 핑계가 보통사람들이 상상하는 평범한 말이 아니어서 항상 당황스러웠다.

건물 관리직원분들 덕분에 전기는 복구됐다. 점심 먹은 후 사장님은 사무실이 추워 아들을 일찍 퇴근시켜야겠다며 집에 데려다준다고 나가셨다. 다른 상사들은 업무차 나가거나 사무실이 춥다고 차에 가있는 분도 있었다. 추운 사무실이지만 오랜만에 조용히 혼자 있는 것도 좋았다. 음악을 작게 틀어놓고 적당히 일하며 시간을 보냈다. 따뜻한 물 한 잔을 마시려고 일어서는 순간 평화로운 시간은 깨졌다.

무엇이 잘못된 건지 사무실 바닥에 물이 차고 있었다. 누구에게라도 전화하려고 전화기를 들었다. 그런데 전화도 불통이었다. 그러고보니 혼자 조용히 음악 들으며 일하는 동안 전화 한 통 안 왔다. 건물 안 다른 사무실은 어떤지 둘러봤다. 우리 회사만 그런 것이 아니었다. 하수구가 터져 다른 곳도 물바다였다.

이 상황을 보고드리려고 사장님께 전화했다.

"사장님, 지금 건물 전체에 전화가 불통이고 사무실에 물이 찼으니 빨리 와주세요!"

"나 약속 있어. 물은 조 대리가 좀 퍼내. 전화도 뭐, 곧 고쳐지겠지."

정말 혼자만 속편한 스타일이다. 더 이상 말하고 싶지 않았다.

누구든 도착할 때까지 사무실에 차오르는 물을 퍼내야만 했다. 또 고무장갑과 앞치마를 장착했다. 쓰레받기까지 잡았다. 바닥에 쌓여있던 몇 년 동안의 서류들은 이미 젖어 손쓸 수 없었다. 두 손으로 쓰레받기를 잡고 두 다리는 벌리고 물을 퍼냈다. 도대체 이게 무슨 꼴인지 내가 뭐하고 있는 것인지 기가 찼다. 옆 사무실은 사장부터 모든 직원들이 협력해 물을 퍼내더니 금방 끝난 것 같았다. 나는 혼자 물을 푸고 또 퍼내도 끝이 보이질 않았다.

경비실에서 두 분이 오셔서 도와주시기 시작했다. 그때부터 속도가 좀 붙었다. 어느 정도 물을 퍼내고 지저분해진 사무실을 청소했다. 걸레질하고 있는데 사장님이 도착했다. 주머니에 손 넣고 한 번 슥 둘러봤다.

"뭐야, 다 됐네? 오늘 뭐 이렇게 일이 많이 터지나. 우리 아들 일찍 들여보내길 잘했네. 별거 없으니 나 퇴근할게."

사장님은 특유의 종종걸음으로 곧바로 다시 나갔다.

추위에 떨면서 혼자 물을 푸던 모습은 제발 아무도 보지 않길 바랐다. 나도 보기 싫은 내 모습이었고 창피했다. 무엇보다 '혼자' 고군분투하는 모습이 싫었다. 모두 함께 작업하던 옆 사무실 사람들은 서로 장난도 치고 얘기를 나누며 즐거워보였다. 그 모습에 비해 나는 너무 초라했고 힘들었다.

조직을 승리로 이끄는 힘의 25%는 실력이고 나머지 75%는 팀워크다.
_딕 버메일

오랫동안 사장님과 일했기 때문인지 다른 상사들도 사장님을 많이 닮아 있었다. 개인주의를 넘어 이기주의가 극심했다. 무슨 일에서도 책임지기 싫어 떠넘기고 피하는 경우가 많았다. 그러다보니 자연스레 책임을 떠안고 뒤집어쓰는 사람은 항상 나였다. 협력해야 하는 순간에도 상사들은 빠져나갈 궁리만 했고 말끝마다 '잘못되더라도 내 책임은 아니다'라고 말했다.

내 할 일은 내가 알아서 할 테니 네가 할 일은 네가 알아서 하자며 서로 피해 주지 말자는 식이었다. 개인주의가 지나치면 이기주의로 보일 수밖에 없다. 나도 개인주의가 무조건 나쁘다고 생각하진 않는다. 필요한 순간이 있고 서로 편할 때도 있다. 특히 사생활은 서로 터치하지 말고 개인주의를 존중해줘야 한다고 생각한다.

하지만 직장 내 업무에서는 다르다. 재능이 아무리 뛰어난 사람들이 모인 팀이라도 서로 협력하지 않으면 성공할 수 없다. 팀원 간 배려와 믿음이 기본이 되어야만 좋은 성과를 낼 수 있다.

조직생활에서는 소통과 협력이 중요하다. 이해와 신뢰, 개방적인 의사소통, 업무에 대한 책임감이 필요하다. 부정적인 이야기를 일삼거나 무관심한 태도로 방관하는 개인주의적 행위는 조직 협동심을 해치는 행위다. 업무를 독단적으로 진행하고 대화를 회피하면 나중에 더 큰 사고가 생길 우려가 있다.

공동체의 상징, 회사 점퍼

남성용 점퍼 같아 입기 싫었던 회사 점퍼를 사장님은 내게 억지로 입히면서 항상 똑같은 말을 반복했다. 우리는 '한 배를 탄 가족'이니 언제나 함께 가야 한다고 했다. 언제든지 함께 갈 수는 없어도 어렵고 중요한 일이나 위급한 상황에서는 함께 하자고 했다.

어려운 일이 생겼을 때 솔선수범하자는 말은 초등학교 교과서에도 나온다. 나는 상사들에게 솔선수범까지는 바라지도 않았다. 상황을 회피하지 말고 이익만 생각하지 않고 책임감 있는 모습을 보여주는 상사가 됐으면 좋겠다.
아는 것이 힘이 아니라 알고 실천하는 것이 진정한 힘이다.

8. 해고

평생 처음 내 명함이 생긴 날, 직급이 올라가면서 새 명함을 받은 날은 잠시나마 내가 뭐라도 된 듯 뿌듯했다. 이렇게 내가 하나씩 쌓아 이루는 감정을 사장님 아들은 느끼지 못했다. 회사에 오자마자 '주임' 직함을 달고 명함을 받았기 때문이다. 다른 직원들은 왜 부사장이 아닌지 수근댔다. 아마도 주임 다음에 바로 '사장'이 될 것 같다.

'주임' 직함을 단 후부터 사장님 아들은 실무능력이 발전해야 했는데 건방과 게으름이 발전했다. 작은 일에도 사무실에서 큰소리로 짜증냈다. 밖에 나가 1시간씩 하던 여자친구와의 전화통화도 사무실에 앉아 아주 마음 편히 했다. 내 업무에 참견하는 일은 더 많아졌고 내게 쓰레기청소를 지시하기도 했다. 아들이니 아빠를 닮는 것은 놀랄 일은 아니지만 가끔 소름끼치게 사장님과 같은 모습에 눈에 보이는 것 자체가 스트레스였다.

사장님은 아들이 걱정되어 점심시간 때마다 들어와 식사를 함께 했다. 나는 대부분 거절하고 따로 먹었는데 억지로 함께 먹은 날이 있었다. 지하1층으로 내려가 뭘 먹을까 돌아다니다가 고기집에서 제육볶음을 먹기로 했다. 주문하고 앉아 수저를 놓고 물을 따르는 것도 내 몫이었다. 나이순으로는 사장님 아들이 한참 막내이지만 권력자여서 손 하나

'까딱' 안 했다. 게다가 삐딱하게 앉아 한다는 질문이

"아빠, 제육볶음이 뭐야?"

그 순간 내 귀를 의심했다. 20대 중반의 남성이 정말 몰라 물어보는 것인지 장난을 치는 것인지 알 수 없었다.

"전에 엄마가 해줬던 거 있잖아. 고기에 양파랑 당근이랑 넣고 고추장 넣고 볶아준 거."

사장님의 매우 다정한 대답을 듣고 장난이 아님을 알았다.

사장님은 내게 왜 식사를 함께 안 하는지 물었다.

"솔직히 불편해요. 그런 자리가 편할 사람이 어디 있겠어요. 다른 직원은 점심시간에 아예 들어오지도 않잖아요. 그냥 아드님과 단둘이 드세요."

내 얘기를 들은 사장님은 괜히 역정을 냈다.

"나이 많은 사람들이 이해 좀 하지. 우리 아들은 아직 어리고 사회생활 경험도 없잖아. 어려서 뭘 몰라 그러는데 그러려니 넘어가줘야지."

사장님 아들보다 나이 많은 것이 무슨 죄라고 모든 것을 이해하고 참고 받아줘야 하는 걸까. 나보다 나이 많은 상사들은 그들보다 어린 나의 무엇을 이해하고 받아줬는지 의문이었다.

그런 상황들을 아무리 여러 번 겪어도 사장님은 항상 뻔뻔했다. 피치

못할 사정으로 점심시간에 사무실에 못 오게 되면 아들과 함께 밥 먹으라고 꼭 전화를 했다.

그래도 기어이 우리가 각자 점심을 먹고나면 꼭 사장님으로부터 전화가 왔다. 아들이 그새 뭐라고 말했는지 모르겠지만 왜 혼자 밥먹게 하냐고 짜증을 냈다. 나는 먹는 것까지 간섭 받는 것 같아 황당했다.

사장님이 저녁 술 약속 때문에 시간이 안 맞아 아들을 집에 데려다주지 못한다고 했다.

"조 대리, 퇴근할 때 우리 아들 태워가. 집까지 데려다 줘."

나는 속으로 '널린 게 대중교통인데 버스 한 번 타면 큰 일 나나? 그럼 택시타면 되지'라고 생각했다.

불편한 퇴근길이었다. 아직 운전면허가 없던 사장님 아들은 내가 똥차라도 회사차를 타고 다니는 것이 못마땅했나보다. 내가 그만두면 자신이 이 차를 타고 다니게 될 거라는 막말을 했다.

그날 밤 더 이상 참다간 더 심한 꼴을 볼 것 같아 큰마음 먹고 사장님께 편지를 썼다. 쓰다보니 장문의 편지가 되었지만 할 말은 다 전해야겠다고 마음먹었다.

다음 날 편지를 전해드렸고 결과는'해고'였다.

"그렇게 힘들었으면 얘기하지. 힘들면 그만두고 우리 아들에게 인수인계해줘."

회사체계는 바꿀 생각이 없다는 뜻이었다. 그렇게 힘들다고 사표를 세 번이나 썼는데 무시하고 피하고 신입직원도 안 구해주면서 시간을 끌었던 사람은 사장님이었다.

이제는 아들이 있으니 못할 게 없다는 건가.

내가 사장님께 썼던 편지가 네 번째 사표가 됐다. 해고가 결정되자 사장님은 일주일 안에 모든 것을 정리하라고 했다. 그러면서 계속 인수인계를 강조했다.

"인수인계 확실히 해줘야 한다. 아니, 인수인계가 아니라 우리 아들이 아는 것이 없으니 일을 모두 가르쳐주고 가."

받지도 못한 인수인계를 처음부터 끝까지 사장님 아들에게 가르쳐주고 가라니 정말 뻔뻔했다. 내게는 떠난 사람은 죄가 없으니 맡은 사람이 알아서 잘해야 한다고 했다. 그만 둘 때까지 당하는 기분이었다.

다음 날부터 사장님과 아들은 아침 일찍 출근했다. 서로 누가 일찍 나오나 경쟁이라도 하듯 출근시간이 점점 빨라졌다.

사장님 아들을 가르치는 것은 너무 힘들었다. 인수인계를 해본 적도 받아본 적도 없는 사장님 아들은 다짜고짜 내 자리를 차지하고 앉아 별

써 주인 행세를 했다. 내가 하는 것을 보면서 가르쳐주면 해보라고 얘기해도 막무가내였다. 자신이 하겠다고 서류를 잡고 내게 전해주지 않아 포기하고 그냥 자리를 내줬다.

그 뒤부터 내 자리는 없었다. 사장님 아들이 앉아있는 자리 옆에 서서 일을 가르쳐줘야 했다. 테이블에 앉아 있다가 사장님 아들이 부르면 가서 일을 가르쳐줬다. 순간순간 올라오는 감정들을 다스리기 힘들었다.

모든 권력을 손에 쥔 사장님 아들은 다른 상사도 무시한 채 회사체계를 자기중심으로 바꾸기 시작했다.

만약 당신의 아들딸에게
단 하나의 재능만 줄 수 있다면
열정을 주어라. **_브루스 바튼**

나는 여유 없는 집안에서 태어나 자랐지만 사장님 아들이 부럽진 않았다. 오히려 절대로 저렇게는 살지 않겠다고 다짐했다. 혹시 결혼해 자녀가 생겨도 경제적 부를 쉽게 물려줄 생각도 없다. 자신이 노력하지 않고 쉽게 얻은 것은 그 소중함을 모른다. 자녀를 망치는 지름길이다.

제4장

소화불량 직장인 후배들에게

1. 후회

지나간 시간을 전혀 후회하지 않을 수 있을까?

퇴사를 후회한 적은 없다. 더 일찍 퇴사하지 못해 후회한 적도 없다. 모든 일에는 때가 있다는데 그때가 내가 떠났어야 할 때라고 생각한다. 너무 어리고 경력도 없을 때 겪었다면 더 많이 힘들었을 것 같다. 사회인으로서 어느 정도 경력과 경험이 쌓였기에 회사를 떠날 때 마인드 컨트롤이 가능했다. 많이 울고 아프고 힘들어하면서도 짧지 않은 시간 동안 버텨낸 나 자신을 칭찬해주고 싶다. 아쉽고 후회되는 부분은 있어도 자책하진 말자고 스스로 다짐했다.

한동안 친구와 평일 점심을 자주 먹었다. 한정되어 있던 직장인 점심

메뉴에서 벗어나 새로운 음식점에도 가고 카페에 가 수다도 실컷 떨었다. 직장인처럼 점심시간에 조급해하던 습관도 조금씩 사라졌다. 그렇게 몸이 편해지니 조금씩 '후회'가 들기 시작했다.

우선 나 자신에 대한 후회가 가장 컸다. 조금만 더 지혜롭고 현명했다면 직장생활을 하면서도 나를 잘 돌보고 아꼈을 텐데 일에 치여 나를 방치했다. 직장생활을 하면서도 퇴근 후 자신만의 시간을 갖는 직장인들이 많다는 사실에 놀랐다. 나는 하루하루 퇴근길이 방전되는 느낌에 항상 힘이 쭉 빠져 있었다. 집에 가도 밀린 집안일과 아빠를 챙겨야 해 다른 경험을 통해 좋은 에너지를 받을 생각을 못했다. 너무 '우물 안 개구리'로 살아온 것 같았다.

카페에 앉아 친구에게 주저리주저리 떠들다보니 내 후회가 꽤 많다는 것을 알았다. 오랜 직장생활을 했지만 전문성을 더 기르지 못한 것도 후회됐다. 이왕 버티는 거 힘들어도 나 자신을 발전시키고 전문성을 더 갖춰 바깥세상에 나왔다면 당당해질 수 있었을 거라는 생각이 들었다. 안 그래도 자신감 없던 내가 직장생활을 하면서 더 나약해졌고 자존감은 바닥을 쳤다. 그런 상황에서 직장까지 잃었으니 자존감이 더 좋아질 리 없었다. 스스로 당당하고 멋지게 갖추어 나왔다면 더 좋지 않았을까.

며칠 연속으로 친구를 만나 함께 점심 먹고 쇼핑도 했다. 그러다가 하루를 혼자 보내게 됐다. 갑자기 막막했다. 어딜 가지? 뭘 하지? 밥은 뭘 먹지? 혼자 할 수 있는 게 뭐지? 머릿속이 복잡했다. 누군가 지시를 내려주지 않으면 주도적으로 내가 무슨 일을 결정하고 행동하는 것이 어색한 상황이 됐다. 정해진 시간에 버스를 타고 출근해 일하고 점심먹고 다시 일하는 일상에서 벗어나 온전히 혼자가 되자 아무 것도 모르는 바보가 된 것 같았다.

사실 아무 것도 안하고 하루쯤 보내도 상관없는데 뭔가 큰 죄를 지은 기분에 불안할 때도 있었다. 주입식 교육과 수직적 관계의 직장생활로 20년 넘게 보내다보니 그 틀 안에서 벗어나지 못하고 있었다. 그렇게 입으로는 이제 창의적인 일을 하고 싶다면서도 몸이 말을 듣지 않았다. 누군가 조종해줘야만 움직이는 로봇 같았다. 조종해주는 사람이 없어졌으니 고장난 로봇 같기도 했다. 회사에서는 아무리 노력해도 허무했는데 나와보니 노력할 것이 없어 허무한 날도 많았다.

직장과 4대보험의 옷을 벗은 나는 한없이 작고 초라했다. 내가 원했던 어른이 됐을 때의 모습은 이런 모습이 아니었는데 자꾸 의기소침해졌다. 그럴수록 지난 시간에 대한 후회만 늘어갔다. 이러고 있으면 안 되겠다는 생각이 들었다. 마음의 근육을 단련해야 할 것 같아 도서관에서 지내기 시작했다. 하루 종일 책에 파묻혀 살았다. 나른하면 졸거나 읽고 싶은 분야의 책들을 원 없이 읽으며 시간을 보냈다. 하루에도 여러 번 롤러코스터를 타는 듯했던 내 마음이 책을 읽는 시간만큼은 아무 잡생각 없이 편안했다.

며칠 만에 다시 만난 친구에게 여러 가지 후회되는 부분도 있고 현재가 좋기도 하고 마음이 자꾸 바뀐다고 말했다. 친구는 그동안 마음고생 많았는데 나와서까지 그러지 말라고 했다. 후회되는 부분이 있다면 지금 마음껏 후회하고 그 감정을 쏟아버리라고 했다. 어떤 감정이든 참지 말고 이제 마음대로 해도 되고 나중에 더 큰 후회만 안 하도록 현재 시간을 잘 보내면 된다고 격려해줬다. 그 자리에서 후회를 모두 털어버렸다.

2. 재회

퇴사 후 사장님을 우연히 딱 한 번 본 적 있다. 공부도 하고 마음의 안정도 찾을 겸 인문학 수업을 듣기 시작했다. 함께 수업 듣는 사람들과 저녁을 먹으러 가는 도중 길가에서 사장님을 만났다. 다시 만날 일은 없을 것이고 만나지 않길 바랐는데 생각보다 빨리 보게 됐다.

만나도 절대로 인사하지 않겠다던 평소 다짐과 달리 뼛속 깊은 노예근성이 아직 남았는지 몸이 먼저 반응했다. 허리를 반쯤 숙여 인사하던 찰나 사장님이 먼저 고개를 돌려 피했다.

분명히 나와 눈이 마주쳐 몸을 숙였는데 재빨리 피해 당황했다. 나를 피한 사장님은 누군가를 부르더니 옆 골목으로 걸어갔고 그 옆에는 아들이 있었다. 그렇게 당당히 나를 괴롭히던 사장님과 아들은 급히 눈을 돌렸다.

몇 달 지났을 뿐인데 한 눈에 보기에도 사장님은 많이 늙어보였다.

사장님의 행동이 오히려 감사했다. 나를 해고시킨 것이 마음 편하지 않다는 증거라고 생각했다. 나는 오히려 인사드리면 전처럼 또 내 속을 뒤집는 말을 할 것이라고 예상했는데 전혀 아니었다. 책임 소재를 떠나 아직 사장님 마음이 불편해 피한다고 생각하기로 했다.

사장님을 보니 퇴사하던 날 주셨던 배 한 상자가 생각났다. 상자 채 베란다에 놓고 뜯어보지도 않았다. 끝까지 하나도 먹지 않았고 그대로 방치했다. 나중에 이상한 냄새가 나 열어보니 썩어 있었고 그것을 통째 버렸다. 버리고나니 속이 후련했다. 당시는 내가 해고를 당하고 뭔가를 받아먹는다는 것이 자존심 상하고 싫었다. 내가 안 먹을 거라면 남이라도 줄 걸 썩어가는 것을 왜 꼭 눈으로 확인해야 했는지 모르겠다. 내 나름대로 화난 감정을 표출하는 방법이었나 보다.

걱정 말아요 그대

이미 끝난 일을 말해 무엇하며
이미 지나간 일을 비난해 무엇하리. _공자

이미 지나간 일들에 대한 후회와 미련이 남는 것은 이상할 것이 없다. 우리는 대부분의 지나간 일과 시간에 대해 많이 후회하며 살아간다. 후회는 후회로 끝내는 것이 중요하다. 후회가 심하게 길어져 미련이 남고 자책으로 이어져 비난하기 시작하면 벗어나기 힘들다. 생각을 재정리해 빠른 시간 안에 떨쳐내는 것이 중요하다. 당시는 그래야 할 이유가 있었을 텐데 무조건 부정하고 오랫동안 헤어 나오지 못한다면 현재에 집중할 수 없다. 인생을 멀리 내다본다면 현 시점에서 과거에 대한 후회나 아쉬움은 별 의미가 없다. 후회되는 일이 있다면 빨리 떨쳐내고 지금 할 수 있는 일에 집중하자. 그 과정이 쉽지 않겠지만 현재를 잘 살아가기 위해서는 반드시 수행해야 할 일이다.

지나간 시간을 붙잡고 놓아주지 못해 괴로워하지 말고 떠나보내자. '걱정 말아요 그대'의 노래 가사처럼 지나간 것은 지나간 대로 의미가 있다.
과거가 있기에 현재가 있다. 지나간 과거를 후회하지 않으려면 현재에 충실해야 한다. 현재도 미래 앞에서는 과거일 수밖에 없기 때문이다.
나도 지난 시간을 붙잡고 괴로워했지만 놓는 순간 생각이 많이 바뀌었다.

돈을 잃으면 삶의 일부를, 명예를 잃으면 삶의 절반을, 건강을 잃으면 삶의 전부를 잃는다는 말이 있다. 직장생활로 건강이 많이 나빠졌을 때 차라리 직장을 잃은 것이 잘됐다는 생각이 들었다. 미련하게 버티다가 건강을 잃었다면 전부를 잃고 더 크게 후회했을지도 모른다.

3. 비교 대상

나는 직장생활을 하는 동안 수없이 남과 비교하며 스스로 불행에 빠져 살았다. 다른 친구와 연봉을 비교하는 것부터 동료들과의 연봉이나 인센티브에 민감했다. 경쟁사회에서 신경을 안 쓸 수는 없지만 내가 생각해도 지나칠 정도로 남들과 비교하기에 바빴다. 자존감도 낮았고 자격지심도 심했다. 하다못해 사장님과 내 상황을 비교하며 괴로워하기도 했다. 사장님이 옷부터 양말까지 몸에 두르는 모든 것은 명품이었다. 또 음주가무에 아낌없이 돈 쓰는 것을 알게 될 때마다 점심값에 단 천 원이라도 초과되는 메뉴는 먹고 싶어도 참아야 하는 나와 비교했다. 누구는 일 안하고 펑펑 돈쓰고 놀러다니고 나는 매일 이러고 사는구나 생각하니 괴로웠다.

지금 돌아보면 모두 부질없는 짓이었다. 누구나 자신만의 허락된 조건 안에서 자신의 삶에 충실히 살아간다. 인생은 누군가를 이겨야 하는 승부가 아니다. 남과 비교하면서 불평하고 힘들어하는 시간에 내 삶을 더 충실히 살았어야 했다. 다른 사람을 부러워하면서 나와 비교하다보니 나의 부족한 점이 너무 많이 보였다. 따라가려면 해야 할 것도 많았고 나는 더 작아졌다. 그러면서 더 우울해지고 내 처지에 대해 신세 한탄만 늘어갔다. 나보다 나은 처지의 사람과 비교해 좋은 자극을 받고 동기가 될 수도 있다. 하지만 현실에서 대부분의 비교는 쓸데없는 에너지를 낭비하고 행복한 삶과 멀어지게 한다.

이제 비교해야 한다면 어제의 나와 오늘의 나를 비교해야 한다는 것을 알았다.

퇴사 후에도 한동안 모르고 살았다. 언제부터인가 직장인들이 퇴사하면 혼자 해외여행 가는 것이 당연한 분위기였다. 꼭 어딘가로 떠나야 하고 그래야만 재충전된다고 생각하는 것 같다. 여행이 인생 공부라는 말이 틀린 말은 아니다. 길 위에서 만나는 새로운 사람들과 겪는 새로운 경험들은 분명히 사람을 성장시킬 것이다. 나는 아직 해보지 못했지만 생각만으로도 그럴 것으로 짐작된다. 낯선 곳에서 스스로 모든 것을 감당하는 여행은 단순한 여행이 아니라 많이 느끼고 배우는 최고의 경험이라고 생각한다.

하지만 현실적으로 해외여행을 못가는 사람들도 있다. 나도 그랬다. 항상 생계를 생각해야 하니 섣불리 여행에 투자할 수 없었다. 많은 자기계발서에서는 과감히 도전하라고 했지만 현실을 외면하고 살 수는 없었다. 그때도 남들과 비교만 하고 있었다면 더 우울해지고 변화할 수 없었을 것이다. 무조건 남들처럼 하지 말고 내가 할 수 있는 것부터 해보기로 마음먹었다. 성공을 거둔 비범한 사람들을 부러워하기보다 평범하지만 행복하게 사는 사람들의 이야기에 귀 기울였다.

4. 비우기, 다시 채우기

퇴사 후 가진 것은 시간뿐이어서 그동안 보지 못했던 친구들을 만났다. 그 중에서도 자신의 길을 묵묵히 걸어가는 친구에게서 현실적인 조언도 들었다. 누군가 책임져주는 것이 아니니 스스로 사업체를 이끌어가는 것은 너무 힘든 일이지만 그만큼 큰 보람을 느낄 수 있다고 했다. 남의 일을 해주는 것이 아니라 모두 나의 일이기 때문에 더 열심히 하게 된다고도 했다. 오랜만에 만난 친구는 나보다 훨씬 어른스러웠다. 역시 앞서 경험한 사람은 인생 선배라는 말이 맞는 것 같다.

뭔가 새롭게 시작하자는 마음에서 대청소를 시작했다. 회사에서 썼던 서류들은 미련없이 버렸다. 깨끗이 비우니 책상에는 그동안의 일기장과 편지만 남았다. 옛날 일기와 편지를 꽤 오랫동안 읽었다. '이런 일도 있었구나.', '이런 사람과 편지도 많이 주고받았구나.' 옛 추억에 빠지기도 했다. 내가 기억하지 못하는 일들을 읽을 때는 새롭고 재미있었다. 일기장에도 70% 이상이 직장생활 이야기였다. 그만큼 많은 시간을 보낸 곳이라는 생각이 들었다. 내가 쓴 일기를 읽으며 킥킥대다가 불현듯 하고 싶은 일이 생겼다.

글을 쓰고 싶어졌다. 어릴 때부터 지금까지 일기는 매일 썼고 편지도 많이 쓰는 편이다. 글쓰기를 좋아하지만 특별한 사람만 할 수 있는 것만 같아 아예 꿈도 못 꾼 일이다.

그동안의 일기를 읽어보니 남들 다하는 직장생활이지만 나만의 경험이 있었다. 그런 것을 글로 남기고 싶었다. 시간이 흘러 내 일기를 읽어도 이렇게 뿌듯하고 재미있는데 글로 남기면 더 좋겠다고 생각했다.

전의 나였다면 이렇게 하고 싶은 일이 생겨도 시작하지 못했을 것이다. 부정적인 생각에 갇혀 나는 못할 거야, 내가 무슨, 내 주제에?, 누가 보겠어? 이런 생각으로 시간만 보냈을 것이다. 방법을 찾아보지도 않았을 것이고 신세 한탄만 했을 텐데 이번에는 달랐다.

생각을 바꾸니 행동하게 됐다. 남들과 비교하며 살 때는 글은 성공한 사람들만 쓸 수 있고 그래야 한다고 생각했다. 글을 통해 뭔가 가르칠 수 있어야만 한다고 생각했다. 그래서 나와 다른 사람들만 할 수 있는 일로 여겼다.

사람은 각자 재능을 갖고 있다. 아직 못 찾았거나 재능을 찾아 자신이 원하는 일을 하며 행복하게 사는 사람도 많다. 다른 사람이 걸어가는 길이 나와 무슨 상관일까?

각자 재능이 다르듯 걸어가야 할 길도 다르다. 나는 다른 방식으로 나의 길을 가면 된다고 생각했다.

글을 쓰는 삶으로 인생 2막을 새로 시작하고 있다. 투박하지만 진실

되고 정겨운 나만의 이야기를 편하게 나누고 싶었다. 앞으로 내가 걷는 길에 새로운 많은 일들이 추가될 수도 있다. 끊임없이 질문을 던져가며 나만의 걸음으로 나의 길을 계속 걸어갈 것이다.

모든 변화는 저항을 받는다.
특히 시작할 때 더 그렇다. _**앤드류 매튜스**

원래 시작은 두렵다

누구나 시작은 두렵다. 남들이 몰려있는 곳에 함께 있지 않고 혼자 떨어져 걷는 기분 때문에 불안하기도 하다. 두려움은 정상적인 감정이다. 모든 인간의 기본 정서다. 더구나 새로운 시작은 안전성이 검증되지 않고 어느 정도 위험성도 있다.

나는 운동신경이 둔하고 겁이 많아 운전을 못할 거라고 생각했다. 물론 지금도 베스트 드라이버는 아니다.

운전을 할 수 밖에 없는 상황이었고 피할 수 없었다. 매일 조금씩 운전해보면서 노출되다보니 두려움을 받아들이게 됐다. 두려움이 점점 사라지고 음악을 들으며 드라이브하는 나를 발견할 수 있었다.

두려움을 극복하면 작은 용기가 생긴다. 용기는 두려움이 없는 것이 아니라 그럼에도 불구하고 두려움 속으로 들어가는 것이다. 그렇게 계속 나의 길을 걷다보면 더 성장한 새로운 나의 모습을 만날 것이라고 믿고 있다. 걷다가 넘어질 수도 있다. 그럼 다시 일어나 걸으면 된다. 간단하다.
남과 비교하지 말고 나만의 계획으로 나만의 코스를 따라 나만의 속도로!

5. 장구벌레

나처럼 '우물 안 개구리'가 많을 것이라고 생각한다. 일에 치이고 돈 걱정 때문에 직장생활이 삶의 전부인 사람들이 너무 많다. 자신이 하고 싶은 것을 다 하고 사는 사람들을 보면 부러움에 그치지 않고 신기하기도 했다. 나는 우물 안에 갇혀 세상은 불공평하다고 생각했다. 너무 오래 한 가지만 하면서 살아온 것 같다. 그렇다고 성공적이지도 않았다. 마음속으로는 하고 싶은 것도 할 수 있는 일도 많은 것 같은데 오직 직장이라는 우물 안에만 갇혀 지냈다. 그래서 삶이 지루하고 힘들다고만 생각했던 것 같다. 더 부지런히 다양한 것들을 접하고 경험해봤다면 지금보다 삶이 조금 윤택하게 느껴졌을지도 모른다.

소 발자국에 고인 물에서 헤엄치는 장구벌레는
넓은 바다가 세상에 있음을 꿈에도 생각하지 못할 것이다.
과일 씨 속에 사는 바늘 끝만큼 작은 벌레는
그곳이 세상 전부라고 생각할 것이다.
그들에게 막막한 바다를 설명해주고 우주의 넓이를 설명해주어도
거짓말이라며 믿지 않을 것이다. _**포박자**

직장생활에 힘들어할 때 누군가 내게 장구벌레 이야기를 해준 적 있다. 그때는 귀에 잘 들어오지도 않았다. 하루하루 버티는 것조차 힘들었

다. 누군가의 조언을 깊이 생각해볼 마음의 여유도 없었다.

지금 돌이켜보면 다른 사람의 눈에도 내가 '우물 안 개구리'나 '소 발자국에 고인 물에서 헤엄치는 장구벌레'로 보였던 것 같다. 자신의 모습을 본인이 파악하기는 쉽지 않다. 나보다 먼저 내 상황을 보고 느낀 대로 조언해준 것 같다. 세상은 넓고 할 일은 많으니 잘 생각해보라는 뜻임을 너무 늦게 이해했다.

회사 밖은 지옥이라던 상사의 말은 틀렸다. 어디가 지옥이고 천국인지 아직 정확히 모르겠다. 직장생활을 했던 시간만큼 회사 밖 세상에서도 지내봐야 자신있게 말할 수 있을 것 같다.

다만 회사 밖은 지옥이 아니라 더 넓은 세상임을 느끼는 중이다. 매일 반복되는 같은 업무에 항상 만나는 똑같은 사람이 아니라 많은 것들이 새로움의 연속이다. 그 안에서 배우고 성장할 수 있었다. 평소 못 느낀 감정도 느꼈다.

틀에 박힌 인생보다 남들과 조금 다르게 생각하고 살다보면 나를 표현하는 데 도움이 된다. 다양한 사람들이 사는 이 넓은 세상에서 모두 똑같이 살 수는 없다.

남들 다 취득하는 자격증을 받는 것보다 스스로 체득한 경험을 남에게 나누어주는 것이 더 의미 있지 않을까.

높은 세상만 바라보고 살 때는 'NO. 1'이 되려고 발버둥치지만 넓은 세상에서는 남들과 조금만 달라도 'Only One'으로 인정받고 행복을 찾을 수 있다.

지금 내 상황에서 할 수 있는 것은 모두 해보자. 세상은 내게 수많은 기회와 다양성으로 열려 있다.

6. 좋은 직장

나는 좋은 직장의 조건으로 직원들의 목소리에 귀 기울이는 경청문화 기업을 손꼽는다. 아마도 직장생활하면서 내가 가장 힘들었던 것은 보수적인 수직관계의 일방적인 지시와 불통일 것이다. 사람과 함께 일하는 공동체에서 벽에 소리치는 것 같은 느낌을 자주 받다보면 정신적 스트레스가 상당하다. 나만 위해 뭔가 해달라고 건의하는 것이 아니었다. 회사가 집이나 학원도 아니고 이익을 창출해야 하는 엄연한 기업체인데 그럴 수도 없었다.

적어도 기본은 배려해달라는 직원들의 의견을 사장님은 못마땅하게 여겼다. 비용이라도 발생하는 일에는 말이 끝나지도 않았는데 정색한 채 주머니에 손을 넣고 사무실을 나가 다시 들어오지 않기 일쑤였다. 대화가 될 리 없었다.

직원은 일한 만큼 대가를 받는 존재이지만 회사를 함께 키워나가는 존재라고 생각했다. 하지만 점점 시키는 일만 해야 하는 기계적인 사람이 됐다.

건방지게 들려도 어쩔 수 없다. 기업 리더들에게 한 가지 말씀드리고 싶다. 기업은 단순히 수치에만 집착하고 생산성을 강조하기보다 회사가 추구하는 일의 의미를 알려주고 직원들과 많은 대화를 나눠야 한다고 생각한다. 모든 일을 독단적으로 한다면 누구라도 함께 일하고 싶지 않을 것이다.

젊은 세대들은 즉각적이고 원활한 커뮤니케이션을 원한다. 직원의 목소리에 귀 기울이는 경청문화가 이루어진다면 원활한 소통, 창의적인 아이디어, 친근한 가족문화는 자연스레 따라오지 않을까.

나도 좋은 직장에 다닌 적 있다. 앞에서 말한 첫 직장은 지금 생각해도 한참 앞서나간 수평적 관계와 소통이 원활한 기업이었다. 벌써 10여 년 전인데 직원에게 잠시 쉬었다 하라며 간이침대를 놔주고 심부름을 시키지 않은 회사는 거의 없었다. 직원들은 언제든지 사장님과 편하게 의견을 주고받았고 어버이날에는 일찍 퇴근시켜주기도 했다. 그런 환경에서 불만을 가진 직원은 없었고 덕분에 분위기는 항상 평온했다. 상사, 부하직원 모두 서로 기본적인 예의도 잘 지켰다.

기업이 베풀어준 만큼 직원들도 더 열심히 일해 성과를 내길 원했다. 사장님이 원해 억지로 일하는 분위기가 아니라 직원들 스스로 성과를 내고 싶어 했으니 업무능률도 좋았다.

이렇게 좋은 직장의 조건으로 좋은 리더를 만나는 것도 중요하다. 좋은 리더란 사람들에게 자신을 따르라고 시키는 사람이 아니라 사람들이 따르고 싶은 사람이다. 리더이면서 자신을 낮추고 상대방을 배려해야 한다. 작고 하찮은 일도 도맡아 해야 할 때도 있다. 그래서 좋은 리더가 되기란 결코 쉽지 않다. 단언컨대 존경하는 사람이 있는 직장은 좋은 직장이다.

자신의 직장이 좋은 직장이라고 생각하는 직장인은 많지 않다. 나도 좋은 회사에 다닌 기억은 한 번뿐이고 주위에도 회사에 불만이 많은 직장인들이 대다수다. 하지만 그 중 좋은 직장에 다니는 사람도 있다. 그들이 말하는 공통점은 서로 노력하고 함께 만들어가는 직장이라는 것이다.

유명 대기업에 다니는 지인이 있다. 지금까지 한 번도 일에 대한 불평을 들은 적 없다. 나는 유명 대기업이니 사내 복지제도가 당연히 좋을 것이라고 생각했고 본인의 적성에도 일이 잘 맞는다고 알고 있었는데 나중에 물어보니 자신이 그런 일을 할지 꿈에도 생각하지 못했단다. 적성에도 전혀 안 맞고 얼마나 일할지도 모른 채 시작했는데 벌써 10년이 훌쩍 넘은 베테랑 전문가가 됐다. 너무 욕심 안 부리고 천천히 일을 배웠고 회사도 강요하기보다 여러 교육 지원을 해주었단다.

내가 개인적으로 경험해보지 못했지만 좋은 직장의 조건으로 항상 원한 것은 직원들의 자기계발을 지원해주는 것이다. 직원들의 발전을 위해 꾸준히 교육시켜주는 기업이 좋은 직장이라고 할 수 있다. 의외로 많은 기업들이 업무에 바쁘고 돈이 없다는 이유로 직원교육에 대해 부정적이다.

교육 없이 일만 시키는 회사에서 일하다보면 교육의 필요성을 절감한다. 나도 그 필요성을 느끼고 동료들과 여러 번 건의했지만 일이나 더 하라는 소리만 들었다. 기업발전을 위해 직원들에게 투자하는 것을 아까워하지 말고 지원해줬으면 좋겠다.

어떤 상사를 만나는가는 복불복이지만 대부분의 사내 문제는 대인관계 문제다. 대화로 풀어갈 수 있는 일들이지만 서로 방법을 모른다. 리더는 소통 방법을 모르고 직원들은 갈등해결 방법을 모른다. 아직 한국 기업문화에서 어려운 부분이다.

사람을 잘 이해하고 좋은 관계를 만드는 능력이 즐거운 직장생활로 이어지고 좋은 직장을 만든다. 좋은 기업의 기준은 딱히 없다. 좋은 직장은 리더와 직원들이 함께 만들어가는 것이다. 대기업만 고집하지 말고 나와 함께 성장해나갈 수 있는 직장을 찾아 그곳에서 나의 능력을 발휘

하는 것이 훗날 더 큰 성공으로 돌아올 것이다.

당신이 가는 길을 동조해주는 사람,
당신의 성품과 생각으로부터 자극받는 사람,
당신의 철학을 받아주는 사람,
당신의 경험을 도움으로 여기는 사람을 구하라.
그렇지 않은 사람들은 자신들끼리 구하게 하라. _**장 앙리 파브르**

대부분의 기업대표들은 자신의 회사처럼 일해 줄 사람을 원한다. 그런 신뢰도 높은 인재를 고용하고 기업이 꾸준히 안정적으로 운영되길 바란다. 그런 만큼 직원을 기업의 한 구성원으로 존중해줘야 한다. 오죽하면 직장생활 명언 중 '헌신하면 헌신짝 된다.'라는 말이 있겠는가.

회사를 위해 헌신했지만 버려질 때는 냉정하다는 뜻이다. 나도 그 감정을 느껴봤다. 그런 곳은 좋은 직장이 될 수 없다.

좋은 직장을 구하기 위해서는 장기적인 인생 설계가 필요하다. 인생에 대한 구체적인 목표를 정하고 그 목표에 따르는 직업 목표가 정해지면 자신에게 가장 적합한 직장을 선택할 수 있지 않을까? 좋은 직장을 원하는 궁극적인 이유도 잘 생각해봐야 한다. 좋은 직장은 내 삶의 행복 추구를 위해 찾아야 한다.

어느 직장에 다니고 무슨 일을 하는지도 중요하지만 누구와 함께 일하는지도 매우 중요하다. 시간이 흐르고 나이를 먹을수록 나를 받아주고 내가 받아들일 수 있는 사람과 함께 일한다면 일로 인한 어려움도 잘 극복할 것 같다.

결국 인연으로 인생도 달라진다. 그런 사람을 만날 수 있는 공동체 중 하나가 직장이다. 그렇게 중요한 곳을 잘 알아보지도 않은 채 성급히 입사하지 않길 바란다. 그렇게 입사해 힘든 일이 생겼을 때 손해를 보는 쪽은 절대 약자인 개인이다. 기업과 직원이 함께 노력해 잘 만들어가는 기업이 진정 건강하고 좋은 직장이다.

좋은 직장

짧지 않은 시간 동안 여러 회사들을 경험하며'과연 좋은 직장이란 무엇일까?'고민했다.
요즘은 취업이 워낙 어려운 시대여서 우선 어디든 취업하고 보자는 지원자도 많다. 그런 경우, 첫 직장에 입사해 오래 버티지 못하고 나오는 경우가 다반사라고 한다. 직장생활을 원한다면 좋은 직장에 대한 자신만의 기준이 있어야 한다. 누구나 아는 대기업, 정년이 보장되는 공기업, 안정적인 공무원이 좋은 직장일까? 그럴 수도 있고 아닐 수도 있다. 정해진 답은 없다.
누가 확실히 가르쳐줄 수도 없고 아무리 공부하고 생각해도 정의 내리기 어렵다.

한 설문조사에서 직장인들은 좋은 직장의 조건으로'휴식시간 보장'을 손꼽았다. 야근 없고 휴일이 보장되는 회사가 좋다는 것이다. 하지만 회사를 선택할 때 맨 먼저 확인하는 조건은'연봉 수준'이라고 한다. 역시 현실을 생각하지 않을 수 없나보다.
하지만 금전과 근무 여건만 따지면 많은 기회를 못 얻는다. 그것을 잘 알고 있지만 먹고 살려면 어쩔 수 없는 현실이 문제다.

7. 쓸모없음의 쓸모있음

나는 메모 중독자다. 원래 일기를 쓰고 무엇이든 메모장에 기록하는 습관이 있었다. 스스로 굉장히 좋은 습관이라고 생각하며 살았지만 주위 사람들은 내게 뭘 그렇게 적어대는지 물었다. 나는 아랑곳하지 않고 열심히 메모했다. 사장님이 무슨 말씀을 할 것 같으면 곧바로 포스트잇에 순서대로 메모했다. 메모한 포스트잇은 컴퓨터 모니터 앞에 붙여놓고 회사 칠판에도 썼다.

그때의 메모 습관 덕분에 할 일을 잊는 경우는 없었다. 일처리도 남들보다 빨랐고 한 번에 여러 일을 할 때도 메모를 보면서 실수 없이 하게 됐다.

독서할 때는 중요한 부분을 메모하면서 더 잘 기억하게 되었고 지금 글쓰기를 하면서도 메모해둔 것을 옆에 두고 쓰고 있다. 메모하면 순간을 놓치지 않고 그대로 기록하고 기억하게 된다. 그런 메모가 많이 쌓이면 결국 어디든 쓸모 있다는 것을 느낀 후 나는 메모 습관을 버리지 않기로 했다.

회사의 내 자리에는 4대의 전화와 1대의 팩스가 있었다. 똑같은 전화이니 다른 직원들의 귀에는 전화벨이 모두 똑같은 소리로 들린다는데 나는 1번부터 4번까지 전화벨 소리가 다르게 들렸다. 멀리서 다른 일을 하다가도 전화벨 소리만 듣고 3번 전화가 왔구나 생각하면 정말 3번 전화가 왔다.

처음에는 너무 사소해 그냥 지나쳤다. 화장실에 갔다가 사무실로 다시 들어가는데 희미하게 전화벨 소리가 들렸다. 2번 전화였다. 문을 열고 들어가면서 상사분께 2번 전화 좀 받아달라고 했다. 어디든 전화를 늦게 받으면 싫어했기 때문에 빨리 받아야만 했다. 전화를 끊은 상사는 2번 전화인지 어떻게 알았는지 내게 물었다. 2번 전화벨 소리가 들렸다고 말했더니 전화기가 모두 똑같은데 무슨 말이냐고 했다.

나도 이상했다. 결국 직원들과 함께 유심히 벨소리를 들어보기로 했다. 아무리 들어도 전화 벨소리 4개 모두 똑같다는데 나는 분명히 다르게 들렸다. 약간의 음도 다른 것 같고 미세한 울림도 달랐다. 지금 생각해도 웃기지만 정말 그랬다. 그 후 내가 멀리서 다른 업무를 볼 때 전화벨이 울리면 직원들은 받기 전에 내게 몇 번 전화인지 묻기도 했다. 내 대답은 100% 맞았다.

벨소리만 구분했던 것이 아니다. 언제부터인지 출근한 상사들이 외근 나가고 다시 들어오길 반복할 때 자동차 엔진소리도 구분하기 시작했다.

일부러 유심히 들은 것은 아니지만 조금씩 차이가 느껴졌다. 그것도 엔진소리를 듣고 부장님이 오셨구나 생각하면 정말 부장님이 들어오셨다. 어느 날 과장님의 엔진소리가 평소와 달라 차량점검을 권했는데 반신반의하던 과장님은 검사 후 미리 얘기해줘 고맙다고 말했다. 자동차에 대해 잘 모르고 관심도 별로 없었는데 소리만 듣고 느꼈다. 신기했다.

직원들끼리 수다 떨며 놀다가도 사장님 자동차 엔진소리가 들리면 모두 제자리에 앉으라고 말했다. 자동차 엔진소리도 100% 구별했다. 한 상사는 듣는 것이 거의 소머즈 수준이라며 점점 장난으로 느껴지지 않는다고 했다. 내가 남들보다 듣는 것을 잘한다는 생각을 그때 처음 해봤다. 듣는 것을 잘 한다는 것은 알기도 쉽지 않고 애매한데 나는 그런 식으로 작은 재능을 발견했다.

그 후 외국어를 독학할 때 나는 듣는 것부터 시작했다. 쓰는 것도 그냥 쓰지 않고 듣고 쓰고, 듣고 말하고, 듣고 문제를 푸는, 듣기 중심으로 독학했다. 결과는 대성공이었다. 내게 딱 맞는 방법이었고 재미있게 할 수 있었다.

회사에서 전화벨 소리 구별로 시작된 사소하다 못해 기억하기도 쉽지 않은 작은 일이 이렇게까지 발전한 것이다. 이렇게 모든 경험은 나름대로 의미가 있고 언젠가 살아가는 데 힘이 된다.

내가 뭔가를 배우고 느꼈다면 나는 성장을 위한 새로운 초석을 올리는 것이다. 지금 겪는 실패와 시행착오가 언젠가 내 인생에 변화를 가져올 지식이 될 수도 있다. 그래서 이 세상에 쓸모없는 경험은 없다.

경험이란 헤아릴 수 없는, 값을 치른 보물이다. _**셰익스피어**

어쩌면 지금 대수롭지 않은 업무 중 뭔가가 훗날 큰 힘이 될지도 모른다. 그러니 현재의 업무가 사소하더라도 매순간 최선을 다해야 한다.

세부적인 것들에서 내 인생의 중요한 시기가 완성되어 가기 때문이다.

인생은 실전이다. 한정된 시간 속에서 남들보다 많은 경험을 쌓는다면 세상을 살아가는 데 소중한 자산이 된다.

8. '평범한' 직장인의 '위대함'

나는 썩 행복하지 않았던 직장생활을 했음에도 후배들에게 직장생활은 꼭 해볼 필요가 있다고 말한다. 흔한 말로 '남 밑에서 남의 돈 벌기'가 얼마나 힘든지 알아야 한다는 이유도 있지만 첫 단계부터 차근차근 밟아 올라가는 경험을 해봐야 한다고 생각한다. 무엇이든 단번에 성장하고 성공하는 일은 없다. 단계를 밟아나가는 인내심은 직장생활을 하며 그 안에서 수없이 무너지며 배우게 된다. 누가 가르쳐주지 않아도 깨우칠 수 있는 많은 것들이 직장생활 안에 있다. 분명히 얻을 것도 많고 그런 경험은 이왕 젊을 때 해보는 것이 좋다고 생각한다.

퇴사를 고민하는 사람들에게도 건강이 많이 안 좋거나 나처럼 금수저에게 밀려 해고당하는 특별한 경우가 아니라면 일단 버티라고 충고한다. 어디를 가도 직장생활은 어렵다.

금방 이직에 성공하더라도 직장생활이 쉬워지진 않을 것이다. 가슴 속에 품고 다니는 사표를 누군가가 멋지게 던진다고 따라하면 더더욱 안 된다. 사표를 던지고 나가는 사람은 용기 있고 남은 사람은 겁쟁이가 아니다. 아직 자신의 때가 아닐 때 충동적인 행동은 나중에 더 큰 후회를 불러온다. 직장에서 버틸 수 있다면 그 힘으로 미래에 새로운 시작을 할 수도 있으니 직장에서 버티는 힘을 기르길 바란다. 그 힘이 곧 제2의 인생을 살아가는 힘이 된다.

대부분의 직장인들이 생계를 위해 일한다. 나도 그랬고 현실적으로 그럴 수밖에 없다.

자아실현을 위해 직장 다니는 사람이 몇 명이나 될까. 회사에 남든 퇴사하든 모두 제2의 인생을 준비해야 하는 시대다. 직장인이라면 누구나 언젠가 회사를 떠날 미래가 있다. 회사를 떠난 이후의 삶에 대해서는 절대로 회사가 책임져주지 않는다.

직장생활 할 때가 미래를 준비할 좋은 기회다. 빡빡한 현실에 생각할 여유가 없겠지만 자신에게 투자하는 시간을 조금만 내 미래를 준비하길 바란다. 거창한 준비가 아니라도 현재 하는 일에 충실하면서 미래를 잊지 않길 바란다. 직장생활을 하는 동안 마음이 위축되는 날이 많다. 바로 스트레스로 이어지고 자책하고 당연히 그만두고 싶을 때가 있다. 그럼에도 불구하고 잘 견디고 있는 자신을 칭찬해주면서 그럴 때마다 미래 계획을 하나씩 세워보면 어떨까? 오늘도 회사에서 열심히 하루를 보낸 당신은 미래를 위한 훌륭한 디딤돌 하나를 쌓아올린 것이다.

직장생활을 할 때 나는 피곤에 찌든 얼굴로 출퇴근했고 주위를 전혀 둘러보지 않고 다녀 몰랐다. 지금은 잠을 푹 잤든 밤새 술을 마셨든 야근해 잠을 못잔 사람이든 출근하는 사람들이 대단해 보인다.

당연히 이불 속에서 나오기도 현관문을 나서기도 싫었을 텐데 아침부터 몇 번이나 참고 나섰다는 것은 대단한 것이다. 누구를 위해 무엇을 위해 집을 나섰든 자신이 맡은 바 오늘 할 일을 위해 출근하는 직장인은 아무나 할 수 있는 것이 아니다. '평범한 직장인'이 오히려 더 '위대한 사람'일 수도 있다.

사장님은 항상 일확천금을 꿈꿨다. 현재도 충분히 즐기고 놀러 다니며 하루하루 사는데 미래에 평생 놀고먹을 돈이 생겼으면 좋겠다고 했다. 직원들에게 대놓고 자신이 로또에 당첨되지 않으면 평생 놀고먹을 돈을 매달 보내라는 말도 했다. 나보다 한참 윗사람이어서 비난하진 않았지만 언제 들어도 답답한 얘기였다. 현재 맡은 바 임무도 충실히 다하지 않는 분이 지금보다 더 편하게 놀고먹을 미래만 바라는 모습은 별로 안 좋아 보였다. 가만히 앉아 바란다고 미래가 저절로 바뀌진 않는다.

처음 사회생활을 시작할 때를 생각해보면 지금의 나는 많이 성장했다. 그만큼 시간이 많이 흘러 나이를 먹으면서 성숙해지기도 했다. 나가기 싫은 날이 태반이었고 툭하면 억울한 일이 생겼고 하루하루 힘들었다. 그런 날들이 쌓였기에 지금 이렇게 글로 쓸 수 있지만 시간이 약이기도 했다. 과거의 고통스럽고 힘들었던 일도 지나면 아무 것도 아닐 수 있음을 지금은 조금 알 것 같다.

과거를 애절하게 들여다보지 말라.
다시 오지 않는다.
현재를 현명히 개선하라. 네 것이니.
어렴풋 나아가 미래를 맞으라. 두려움 없이. _**헨리 워즈워스 롱펠로우**

현재에 충실한 하루하루를 보내다보면 미래를 맞이하는 것이 두렵지 않을 것이다.

혹시 퇴사를 앞두고 있거나 퇴사한 지 얼마 안 된 사람은 앞으로 뭘 해야 하나 걱정할 수도 있다. 그들에게 더더욱 현재에 충실하라고 말하고 싶다.

인생에서 자신의 길을 갈고 닦는 준비 기간으로 재충전 시간을 제대로 갖는 것은 절대로 후퇴가 아니다. 길게 보면 수년의 시간을 버는 것과 같은 결과를 가져올 수도 있다.

쉬는 동안 외국어 공부를 할까? 자격증을 취득할까? 여행을 다녀올까? 고민할 시간에 현재 내가 할 수 있는 것부터 무엇이든 하자. 자신의 한계를 정해놓고 망설이지 말고 익숙한 상황에서 벗어나보고 새로운 것도 배우자. 그런 과정을 거쳐 내가 진정 원하는 곳으로 한 발 다가가자. 그렇게 조금씩 새롭고 넓은 세상으로 나가면 많은 기회와 멋진 세상을 만날 수 있다.

개인적으로 자기계발서를 많이 읽었는데 성공한 사람들의 이야기는 대부분 같았다. 같은 책을 반복해 읽는 느낌일 정도였다. 그대로 따라 하기도 힘들다. 그것은 그 만의 인생이다. 결국 모두 소용없었다.

나의 인생을 살아야 한다. 하루하루 내 인생을 내가 만들어나가야 하고 모두 원하는 똑같은 미래 말고 내가 원하는 미래로 나아가야 한다. 나는 이제 내 삶을 스스로 디자인하고 있다. 준비된 자에게는 매 순간이 도약할 절호의 타이밍이라고 믿는다.

앞으로 세상이 어떻게 급변할지 예상해 대비해야 한다. 거기에 맞춰 미래형 내 자신을 만들어나가자.

지금은 창의적인 아이디어와 여러 가지의 융합시대다. 한 가지만으로는 멀리 내다볼 수 없다. 지치지 않고 멀리 나아가려면 다양한 영역에 관심을 갖고 그에 맞는 근육을 키워야 한다. 긴 호흡으로 천천히 찾아보고 끊임없이 생각하는 시간을 가져보는 것도 좋다. 자신이 추구하는 가치와 다르다면 지속적으로 하기 어렵다. 삶의 가치와 잘 맞아 행복을 느끼는 일이어야 한다.

진정한 꿈을 이루는 데는 오랜 시간이 걸릴 수도 있다. 중요한 것은 내가 남의 인생에서도 빛이 되고 도움을 줄 수 있는지 고민해보는 것이다.

제5장

직장보다 직업

어느 회사에 입사할 것인가, 어떤 직업을 가질 것인가 생각하기 전에 내가 누구인지 먼저 생각해보는 것이 중요하다. 어떤 일을 할 때 가슴이 뛰고 어떤 상황에서 좌절하고 힘든지 잘 파악해야 한다. 남들이 아무리 다른 길이 더 빠르고 좋은 길이라고 하더라도 내가 꼭 가야 할 다른 길이 있다면 그 이유를 잘 생각해보자. 조금 느리고 돌아가더라도 내가 후회하지 않고 스스로 책임질 수 있고 끝까지 떳떳할 수 있는지 말이다.

내가 계속 할 수 있었던 유일한 이유는
내가 하는 일을 사랑했기 때문이라고 확신합니다.
여러분도 사랑하는 일을 찾으셔야 합니다.
당신이 사랑하는 사람을 찾아야 하듯 일도 마찬가지입니다. _**스티브 잡스**

1. 나와 친해지기

대부분 자신과 상관없는 타인의 삶을 살고 있다. 남들이 하는 공부, 유학, 취업에 몰리고 남들이 보기에 그럴 듯한 인생을 살고 싶어 한다. 그들의 특징은 자신이 무엇을 좋아하는지, 무엇을 잘하는지도 모른 채 허송세월하는 것이다. 모든 기준을 타인의 삶에 끼워 맞추다보면 자신의 인생에 만족하기 어렵다. 불평, 불만 습관만 생길 뿐이다. 자신이 중시하는 가치를 알아야 한다.

나도 살면서 한 번도 진지하게 '나는 누구인가?' 생각해본 적이 없다. 직장생활 할 때는 그냥 일하는 사람으로 알았다. 무엇을 좋아하는지 어렴풋이 알고 있었지만 현실적으로 힘들다고 생각하고 미룬 채 잊고 살았다. 회사라는 울타리가 없어진 후 이런저런 생각이 들 때마다 결국 모든 문제의 처음은 '나는 누구인가?'였다. 나에게만 집중하는 시간을 가져본 적 있었는지 돌이켜보니 그럴 생각조차 없이 살았다. 나처럼 원하지 않던 일을 오랫동안 하다가 퇴사하면 '진정 내가 하고 싶던 일이 무엇인가?'라는 질문에 선뜻 답하지 못한다. 이제는 내가 원하는 일을 하면서 살고 싶다는 생각을 하면서도 너무 늦은 것 같고 가진 것이 없는 것 같아 자신감이 더 떨어진다.

원래 자신감이 없는데 직장생활을 하면서 더 떨어졌고 퇴사 후 초반에는 이제 직장마저 없다는 생각에 자신감을 갖고 싶어도 가질 수 없었다. 자신감도 없고 자존감도 낮은 이유를 생각해봤다. 생각에 생각이 꼬리를 물어 결국 내 어린 시절까지 생각해내야 했다. 그것도 결론은 '나는 누구인가?'였다. 나의 어떤 단면만 보고 다른 사람들이 평가하는 나 말고 진정한 '나'를 알고 싶었다. 내가 나를 알아가는 일은 생각보다 어렵고 힘들었다.

자신감이 없고 자존감이 낮은 사람들의 공통적인 특징은 부정적인 것이다. 나도 전에는 부정적인 생각이라면 누구에게도 지지 않았다. 어떤 상황에서도 부정적인 것을 먼저 많이 생각했고 세상 모든 것에 대해 툴툴거리며 부정적인 말을 많이 했다. 그래서 항상 화가 나 있었다. 가까이 가면 찔릴 것 같은 가시 같다는 말도 들었다. 나에 대해 알게 될까봐 다른 사람들과 가까워지는 것이 겁나고 망설여졌다. 지금 생각해보면 자신감 부족이 원인이었던 것 같다. 그렇게 사람들이 내 곁에 다가오지 못하게 스스로 벽을 치고 살았고 내 마음을 들여다보는 시간도 갖지 않았다.

'나는 왜 이럴까? 뭐가 문제지?'라는 질문에서도 여러 생각을 했지만 결국 다시 '나는 누구인가?'에 직면하게 된다. 너무 어렵고 지겹게도 반복되는 질문이다. 그런데도 쉽게 알 수 없었다.

100% 맞기는 힘들겠지만 여러 가지 검사를 해보기로 했다. 나는 누구인지, 내게 맞는 내가 잘할 수 있는 일은 무엇인지 알아보기 위해 직업심

리검사를 실시했다. 2시간에 걸쳐 검사받았더니 진이 빠질 정도였다. 너무 열심히 집중했나보다. 검사 결과는 전혀 생각하지도 못했던 의외의 것들이 많이 나와 당황스럽고 신기했다. 나도 모르는 내 모습이 궁금했다.

단 몇 시간이나 단기간에 알 수 없는 문제이고 나는 지금도 계속 나에 대해 생각하고 알아가고 있다. 하나씩 발견할 때마다 그렇게 기쁠 수 없다. 하나의 새로운 나에 대해 알게 되면 그것에 대해 깊이 생각하고 내 마음의 소리를 들어보려고 애쓰고 있다. 쉽진 않지만 점점 재미가 생긴다. 나에 대한 탐구가 이렇게 신기하고 흥미로운 일이 될 줄 누가 알았겠는가.

자신이 어떤 사람이고 무엇을 좋아하고 잘하는지 알면 나머지 문제는 쉽게 풀린다. 자연스럽게 좋아하는 방향으로 사람을 만나고 시간을 할애하고 연구하면서 그 분야의 고수가 된다.

남에게서 인정받는 것보다 중요한 것은 나를 제대로 알고 진심으로 아끼고 사랑하는 것이다. 그동안 뭔가에 휘둘리며 살고 남의 눈치를 많이 봤는데 나에게 전혀 도움이 안 된다는 것을 알았다. 불필요한 일이고 시간과 에너지만 낭비하는 일이다.

나와 맨 먼저 친해져야 할 사람은 나 자신이었다. 나와의 만남을 통해 내가 무엇을 원하는지 아는 것이다. 내게 필요한 것이 무엇인지, 내가 좋아하는 것이 무엇인지 알아야 한다. 내가 무엇을 할 때 기분이 좋고 시간가는 줄 모르는지 오직 나에게만 집중하는 시간이 꼭 필요하다. 이 때 글을 쓰는 것도 도움이 된다. 글을 쓰다보면 내면의 나를 알게 되는 경험을 하는데 반드시 전문적인 책을 안 써도 좋다. 매일 조금씩 진솔하게 일기를 쓰다보면 자신과 더 가까워지는 것을 느낄 수 있다.

나는 외국어와 악기 연주를 좋아한다. 모두 취미로 즐기지만 가끔 아르바이트로 용돈도 벌고 있다. 가장 재미있는 놀이다. 그렇게 좋아하고 재미있는 일들을 맘껏 즐기지 못한 데는 여러 이유가 있었다. 직장생활을 하면서 누구나 그렇듯이 시간이 부족했고 몸이 힘들어 취미를 포기하고 살았다. 그러다보니 감정도 메말랐고 일상에서 느끼는 즐거움과 멀어져갔다. 지금은 가장 좋아하는 그 두 가지 놀이를 하루도 빠짐없이 조금씩이라도 즐기고 있다. 내가 원하는 것을 할 때만큼 행복한 순간도 없다. 그 순간만큼은 현실적인 걱정으로부터 벗어나고 푹 빠질 수 있어 좋다.

어려서부터 일기와 편지쓰기를 좋아했다. 내성적인 성격 탓에 직접 말하는 것보다 쓰는 것이 편해서였다. 성인이 되어 직장생활을 하면서도 짧게나마 일기는 썼다. 퇴사 후 하고 싶은 얘기가 많아지면서 나 혼자만의 일기가 아니라 다른 사람도 읽을 수 있는 글을 쓰고 싶었다. 그것으로 누군가에게 영향을 미치는 창조적인 삶을 살 수 있다면 더 행복할 것만 같았다. 이렇게 나 자신과 가까워지면서 조금씩 내 마음을 알 수 있었다.

직업심리검사의 여러 결과들 중 이해하기 가장 힘들었던 부분은 미술

적 재능이었다. 학창시절 미술시간을 제외하면 뭔가 그려본 적도 없다. 전혀 관심도 없고 나와 먼 이야기였다. 좋아하지도 않고 하고 싶다는 생각도 안 드는 미술 재능이 어느 검사에서나 왜 자꾸 나오는지 궁금했다. 아무 것도 모르는 상태에서 편집디자인을 시작했다. 처음에는 힘들었지만 점점 나만의 스타일을 만들어갔다. 어느 정도 익숙해졌을 때 용기를 내 완성작을 주위사람들에게 보여줬다.

반응은 제각각이었지만 대부분 칭찬이었다. 지금은 그 작품들을 보고 의뢰해오는 사람도 있다. 전공자는 아니지만 정해진 틀에 갇혀있지 않아 좋다고 했다. 새로운 나를 만난 후 얼떨결에 직업 하나가 더 생겼다. 전혀 생각하지도 못한 일이다. '나'에 대해 끊임없이 생각하고 탐구한 결과라고 생각한다.

자아는 이미 만들어진 완성품이 아니라
행위와 선택을 통해 끊임없이 형성되는 것이다. _**존 듀어**

내가 좋아하는 외국어 공부, 악기 연주, 글쓰기, 새로 알게 된 디자인 모두 나를 드러내는 일이다. 나를 표현하고 싶었지만 그동안 부족했던 자신감 때문에 감추고 살았던 것은 아닐까?

그러고 보니 글이나 그림, 음악은 모두 심리치료에도 쓰인다. 깊은 감정을 끌어낼 수 있는 최고의 심리치료법이다. 며칠 전 나의 예술적 감각을 칭찬해주던 지인의 말이 떠올랐다. 잘하는 것이 아니라 좋아하고 즐기는 것만으로도 나는 예술적 감각이 뛰어난 사람이 됐다.

나를 알면 치유가 시작된다. 먼저 나와 친해지고 작은 용기를 내 하고 싶은 것을 조금씩 해보자.

인생은 장기(長期)여행

여행을 떠나기 전 지역과 나라에 대해 알아보고 계획을 세우듯이 인생에서도 나에 대해 알아보고 계획을 세우는 시간이 필요하다. 우리는 단기간 여행에는 많은 정보를 알아내려고 노력하고 꼼꼼히 계획을 세우지만 장기간 여행인 인생에서는 가장 기본적인 것을 잊고 살고 있다.

소크라테스는 '너 자신을 알라'라고 했고 철학이나 고전, 각 종교에서는 '나는 누구인가?'라는 질문을 수천 년 동안 해왔다. '나는 누구인가?'는'나는 어떤 사람인가?', '무엇을 해야 하는가?'와 연결되는 질문이다. '너 자신을 알라'라고 한 것은 현재 자신의 위치를 알고 해야 할 것을 찾는 것이다. 자신을 정확히 알기 위해서는 현재 자신의 위치를 잘 파악하고 모습 그대로의 나를 인정해주는 것이 가장 중요하다.

2. 내가 살아가는 이유

회사를 다니는 이유를 물어보면 별생각 없이 '먹고 살아야 해서'라고 답하는 사람들이 많다. 그들에게 사는 이유를 물으면 뭐라고 대답할까? 회사를 다니기 위해 사는 사람은 없을 것이다.

살면서 중요한 일은 매우 많다. 그럴수록 자신을 돌아보고 스스로 자주 질문해야 한다. 지금 내게 중요한 일은 무엇인지, 원래 내가 살고 싶었던 삶의 모습은 무엇인지, 내 인생에서 소중한 것과 자신과 삶에 대해 생각해야 한다. 그래야만 방황하는 시간을 줄일 수 있다. 그냥 흘러가는 대로 사는 어리석은 짓은 하지 않길 바란다.

타인의 사는 방식을 따라하고 자기계발서의 등장인물들을 따라한다고 반드시 성공하는 것은 아니다. 그것은 나의 삶이 아니다. 어떻게 살아야 잘사는 것인지 근본적인 질문과 연구도 없이 타인이나 환경에 따라 흘러가는 대로 살고 있지 않은지 돌아볼 필요가 있다.

삶의 이유가 돈을 더 벌고 더 비싼 옷을 입고 비싼 음식과 좋은 집에서 사는 것이라면 삶의 진정한 행복을 느낄 수 있을까?

많은 것을 손에 쥐고 누리며 살았는데도 생을 마감하는 순간, 행복하지 못한 사람들이 많았다. 참된 행복은 물질이 아닌 내적 성장에서 온다. 그것이 지혜다. 물질적 성공이 아닌 정신적 가치 기준으로 세상을 바라봐야 한다.

나는 직장생활을 하면서 내가 살아가는 이유에 대해 진지하게 생각해 본 적이 없다. 아무 목적 없이 살았다. 출퇴근 시간 잘 지키고 시키는 대로 일하고 때가 되면 밥을 먹었다.

주어진 시간에 맞게 끌려 다녔다. 그래서 주변 환경도 중요하다고 생각한다. 배울 점이 없는 사람들 틈에서 점점 닮기 싫은 모습만 닮아갔다.

사장님은 오직 돈만 위해 살았고 돈을 위해서라면 무슨 일이든지 했다. 하루 종일 돈 얘기만 한 적도 많다. 다른 상사들도 월급만 위해 살았다. 여기저기 아무리 고개를 돌려봐도 모든 얘기는 돈이었다. 돈을 위해 사는 사람들 틈에서 내 삶의 이유와 목적, 가치에 대해 대화를 나눌 수 있는 사람은 없었다. 나 자신에게 질문했어야 되는데 그러기에는 내가 너무 약했다.

언젠가 상사와 대화 도중 회사를 다니는 이유를 물어본 적 있다. 사는 이유를 물을 수 없어 돌려 말했다. 나보다 사회생활을 오래한 인생선배에게 무슨 얘기라도 듣고 싶었다. 대답은 '그냥'이었다. 다니고 싶어 다니는 사람이 어디 있겠냐며 회사를 안 다니면 인간 구실을 못하는 것 같아 다닌다고 했다. 내게 곧 자신처럼 될 거라며 기분 나쁘게 웃기도 했다.

왜 그렇게 사냐고 소리치고 싶었지만 나도 별로 다르지 않아 부끄러웠다. 한편으로 정말 그렇게 될까봐 두려웠다.

회사를 위해 살아오진 않았지만 직장생활을 할 때는 내가 회사를 위해 사는 것처럼 느껴졌다.

놀러 다니는 사장님을 위해, 사장님이 안계시면 땡땡이치는 상사를 위해 일해야 했기에 그렇게 느꼈는지도 모른다. 항상 누군가의 뒤치다꺼리만 하는 인생 같았다. 내가 희생한 만큼 상대방도 좋고 나도 행복을 느꼈다면 삶의 이유가 될 수 있었지만 나는 전혀 행복하지 않았다. 누가 떠넘기는 일을 하고 남들만 편하게 해주는 심부름꾼처럼 느껴졌다. 그럴 때마다 도대체 무엇 때문에 무엇을 위해 사는지 답을 찾지 못했다.

퇴사 후 가장 후련했던 것은 이제 누군가를 위해 억지로 희생하지 않아도 된다는 것이었다. 그렇게 벗어나 나는 누구이고 살아가는 이유는 무엇인지 근본적으로 생각하기 시작했다.

시간도 항상 회사가 정해준 시간대로 끌려 다니며 살았지만 이제는 내가 주체적으로 사용하고 있다. 나의 시간을 회사에 뺏긴 것처럼 항상 눈치를 보며 살았다. 퇴사 후 한동안 정해져있던 근무시간처럼 몸이 저절로 움직였다. 가만히 있으면 큰일 날 것 같고 불안했다. 시간과 일의 가치에 대해 처음부터 재정립해야만 했다.

현재는 완전히 내가 주체가 되어 살고 있어 삶의 이유와 목적이 분명하다.

우리 모두 자기 몫의 인생을 갖고 태어났기 때문에 절대로 남이 안전을 보장해주는 길을 가면 안 된다. 여기가 너의 길이라고 정해주더라도 내 선택이 아니라면 그 길로 가는 것은 옳지 않다. 그런 식으로 행복할 수 없고 불행해도 남을 원망할 수도 없다. 이유야 어찌됐든 누군가를 원망하기 시작하면 끝이 없다.

자신의 생각을 굳게 믿고 흔들리지 않는 신념이 필요하다. 나는 그동안 억압된 생활 때문에 나를 표현하지 못하며 살았고 자신감을 많이 잃었다. 그래서 지금은 누가 뭐래도 조금씩 나를 표현해가며 살고 있다. 남들이 알아주지 않아도 상관없다. 여러 일들이 모여 내가 더 성장하고 자신감을 키워 남을 도울 수 있다면 매우 행복할 것 같다. 내가 행복해야만 상대방도 행복하게 만들 수 있듯이 내가 좋아 남을 돕는 인생을 살고 싶다. 새로 생긴 내 삶의 목적이자 내가 살아가는 이유다.

나를 필요로 하는 사람들에게 도움이 되는 사람이 되려면 아직 많이 부족하다. 그래서 하루하루 노력하며 살아간다. 방향이 잘 정해졌으니 흔들리지 않고 갈 수 있으리라 믿는다.

삶의 이유를 아는 자는

그 어떤 시련도 견딜 수 있다. _**니체**

아무도 가지 않은 길은 누구든지 두렵지만 자신만의 삶의 이유를 알고 방황하지 않고 묵묵히 걸어가는 사람은 어떤 어려움에도 담담히 견딜 수 있을 것이다.

근본적인 문제의 속 시원한 정답은 없다. 평생을 살아도 이해하기 힘든 것이 인생이라고 한다. 때로는 인생은 복잡하게 생각하는 것보다 단순히 생각할 때 더 명확해지기도 한다. 특히 존재 가치와 같은 무거운 주제들이 그렇다.

리처드 바흐의 말처럼 우리가 아직 살아있다면 그것만으로도 우리의 사명이 끝나지 않은 것이다. 그것이 무엇인지 몰라도 찾아내는 것은 우리의 몫이다.

우리는 앞으로 사는 동안 어려움을 만나는 만큼 수만 가지 기쁨도 만나게 될 것이다. 멀리서 대단한 것이 오는 것이 아니고 언제 어디서나 마주치는 일상, 순간에서 온다. 그러니 모든 일상, 순간순간마다 감사함을 잊지 말아야 한다. 삶의 기쁨은 가족, 친구, 지인들과 나의 목표이자 꿈이고 그것이 곧 내가 살아가는 이유다.

현재와 미래의 내가 어떻게 느끼고 살 것인지 '삶의 목적'을 잊지 말자.

속도 또는 방향

우리는 각자 유일하고 이 세상에서 꼭 필요한 존재다. 그리고 각자 살아가는 이유를 갖고 있다.
'나는 무엇을 위해 살아가는가?'에 대한 답을 생각해보지 않은 사람도 있을 수 있다. 삶의 의미는 각자 다르지만 없는 사람은 없을 것이다. 한 번쯤 자신만의 삶의 의미를 꼭 찾아야 한다.
삶의 의미와 목적이 없으면 방황하고 남들에게 끌려 다니는 삶을 살게 된다.

인생에서는 속도보다 방향이 중요하다고 말한다. 방향이 잘 정해진 삶, 목적이 이끄는 삶에는 실패 위험도 적다. 생각대로 살지 않으면 사는 대로 생각하게 된다는 말도 같은 맥락이다. 나의 목적과 삶의 이유를 잘 알고 있다면 자신의 생각대로 살게 된다. 반대로 삶의 이유를 모르면 지금 사는 대로 생각하게 되고 발전하기 어렵다.

3. 지금 이 순간

나는 사진 찍는 것을 매우 싫어했다. 찍고 보면 내가 아닌 것 같은 모습이 싫었다. 나름대로 힘들게 활짝 웃었는데도 항상 무표정한 표정도 싫었다. 회사생활에 찌든 내 얼굴이 마음에 들지 않았다.

지금은 완전히 변했다. 외출 전 내 모습, 먹는 음식, 풍경, 어느 것 하나 놓치고 싶지 않다. 매일 사진을 찍는다. 일상의 모든 것을 간직하고 싶다. 하루하루 아니 순간순간 지나가는 것이 아깝다.

카메라 렌즈를 통해 세상을 보면 소중하지 않은 장면은 하나도 없다. 비가 오면 비가 오는 대로, 눈이 오면 눈이 오는 대로, 맑은 날이면 맑은 대로 소중하지 않은 장면이 없다. 그렇게 보면 우리의 일상은 하루하루를 헛되이 낭비해선 안 될 것 같다. 주변을 바라보는 여유가 생기면서 세상 모든 자연이 매 순간 새롭다.

현재에 푹 빠져 살다보니 시간이 매우 빨리 지나간다. 직장생활을 할 때는 '점심시간이 왔으면 좋겠다', '퇴근시간이 왔으면 좋겠다' 생각하면서 다음 시간이 오기만 기다렸다. 지금은 하는 일에 푹 빠져 다음 일을 할 시간이 금방 와있다. 시간이 너무 빨리 지나간다. 하루 24시간에 개인적으로 플러스 몇 시간을 더 쓸 수 있으면 좋겠다.

아이를 낳아 키워본 엄마들의 공통적인 얘기가 있다. 처음에는 육아가 너무 힘들지만 아이들이 조금씩 커가기 시작하면 시간가는 것이 너무 아깝고 잡고 싶다던데 내 마음도 그렇다. 지금 이 순간이 너무 빨리 지나갈까봐 아깝고 현재가 너무 소중하다. 시간을 잡고 싶다는 말의 뜻을 알겠다. 시간이 가는 아쉬움을 달래는 것은 추억을 저축하는 일이다. 지금의 빛나는 하루하루를 열심히 저축해둬야겠다.

4. 견딤의 보상은 없다

직장생활을 할 때 하루 중 그나마 좋았던 시간은 점심시간이었다. 먹는 것이 불편한 날도 많았지만 잠시라도 사무실을 벗어나는 데 만족했다.

퇴사 후 가장 좋은 시간도 점심시간이다. 상사의 결정에 따라 매일 비슷하게 먹던 메뉴에서 벗어나 색다른 메뉴를 먹고 시간의 구애도 받지 않았다. 친구를 만나면 최근 유행하는 맛집도 가보고 밥 먹는 동안 일 얘기도 안하니 모든 것이 맛있게 느껴졌다. 가끔 어디든 갈 수 있는 여유가 있어 뭘 먹을지 고민하는 시간도 즐거웠다. 그러고 보면 인생에서 점심시간이 매우 중요하다는 생각이 든다. 밥 먹을 때 온전히 밥에 집중해 편하게 먹을 수 있다는 것도 행복이다.

출근길에 비가 올 것 같거나 날씨가 흐려야만 하늘을 한 번 올려다봤다. 평소 앞만 보고 빨리 걸어가고 땅만 보고 서있느라 하늘을 올려다본 기억이 별로 없었다.

어쩌다 가끔 사무실 창밖으로 하늘을 볼 때 하늘이 맑고 예쁘면 화가 났다. 더 답답했고 '내가 여기서 뭐하는 건가?'라는 생각이 들었다.

지금은 집을 나서면 하늘을 보는 것이 습관이 됐다. 하늘과 구름이 예쁘면 사진으로 남기느라 한참 올려다본다. 똑같은 하늘과 구름 모양을 다시는 볼 수 없을 텐데 그냥 스치는 것이 아깝다. 오늘도 다시 돌아오지 않는 하루라는 생각에 그 자체가 소중하다.

일상의 작은 일에 무엇을 하든 나는 그 순간의 일을 사랑하고 즐긴다.

'싫어도 견디자'라는 잡념이 사라졌다.

직급을 버리고 위로 올라가려고 더 이상 발버둥 치지도 않는다.

평범한 직장인이 아니라 평범한 보통사람으로 사는 인생은 더 높이 올라가지 못할지도 모른다. 하지만 분명히 전보다 행복해질 거라고 믿고 있다. 행복한 삶을 위한 선택권이 내게 주어졌다는 것만으로도 긍정적이다. 수입은 줄어 당분간 경제적으로 많은 부분을 포기하겠지만 동네 공원에 앉아 한적하게 주위를 둘러보는 것만으로도 보상받는 기분이다. 햇살이 주는 따스함이 더 풍족하게 느껴진다.

절대로 허송세월하지 말라.
책을 읽든지 쓰든지 기도하든지 명상하든지,
공익을 위해 노력하든지 항상 뭔가를 하라. **_토마스 아 켐피스**

퇴사 후에도 항상 새벽 4시 반에 일어난다. 그래도 하루가 짧다. 앞으로 하게 될 일들이 너무 기대되고 가슴이 뛴다. 정해진 기한 없이 마음과 몸이 가는 대로 내 것을 만들어 나가기 위해 시간과 노력을 아낌없이 쏟고 있다.

마음대로 창문도 못 여는 꽉 막힌 사무실이 아닌, 바람과 햇살을 마음껏 누리는 공간에서 에너지도 즐거움도 마구마구 샘솟아 좋다.

앞만 보고 달리지 않을 것이고 현실에 불만족하며 뛰지도 않을 것이다. 지금 주어진 이 시간을 소중히 잘 쓰고 싶다. 힘들고 고통스러웠던 지난날들도 지금은 추억이 되고 있으니 지금의 하루하루는 더할 나위 없이 행복한 추억이 될 것 같다.

5. 잃어버린 휴가를 찾아서

회사 앞에 벚꽃나무 한 그루가 있었다. 사장님도 놀러 가시고 이상할 만큼 한가했던 어느 월요일 오후, 모두 앉아 졸거나 차 한 잔씩을 하고 있었다. 물을 마시려고 자리에서 일어섰는데 그날따라 바람에 흩날리는 벚꽃이 여러 번 보였다. 원래 좋아하지만 그날의 벚꽃은 유난히 아름다웠다. 멍하니 바라보다가 부장님께 말했다.

"매일 보던 벚꽃나무가 오늘따라 왜 이렇게 예뻐 보일까요?"

부장님은 의자에 반쯤 누워 나른하고 건조하게 대답했다.

"사장님이 없잖아."

말해놓고 부장님도 웃겼나보다. 여러 의미들이 담긴 한마디에 모두 웃음이 터졌다.

상사의 눈치를 많이 보는 일 중 휴가 날짜를 정하는 일이 있다. 학생 때처럼 방학이 있는 것도 아니고 며칠 연속으로 쉴 수 있는 유일한 기회가 휴가이지만 단 한 번도 내가 원하는 날짜에 휴가를 써본 적이 없다.

그러나 이제는 지친 마음과 육체를 달랠 수 있는 시간을 내가 결정할 수 있다. 누구에게 묻지 않아도 되고 남이 정해놓은 날도 아니다. 내가 조절하면서 적당히 즐길 수 있고 무기력한 회사원의 얼굴로 하루하루를 보내지 않는다. 손가락 하나 까딱 할 힘조차 없고 발걸음 하나 옮길 기력조차 없을 때도 내 몸은 내 몸이 아니라 회사의 몸이었다. 이제는 모든 육체와 마음이 온전히 내 것이다. 그러니 휴가에 대한 작은 기대마저 행복 그 자체다. 쉬고 싶을 때 쉬는 만큼 좋은 에너지가 가득할 것이라고 믿는다. 물론 철저한 시간관리를 해야 하고 모든 책임은 내게 있다.

6. 나를 가로막는 것은 나 자신뿐이다

사람들은 마음속에 자신도 모르게 자신의 한계를 만드는 경우가 많다. '나는 안 해'가 아니라 '나는 이런 거 못해, 나의 한계야'라고 생각한다. 나의 가능성이 어느 정도인지 아무도 모르는데 시도조차 안하는 경우가 많다. 긴 물고기 새끼들을 잡아 어항에 가두면 그 어항 크기만큼만 자란다고 한다. 사람도 마찬가지다. 내가 생각한 나의 한계를 깨고 도전하지 않으면 항상 그 자리에 머물게 된다. 중요한 것은 성장하는 과정에서 나를 만나는 것이다.

물론 세상에 쉬운 일은 없다. 더구나 무슨 일이든 처음은 누구나 어렵고 힘들다. 일단 시작해봐야 한다. 아무리 겁나고 힘들어보여도 시작해볼 수는 있다. 겁먹을 필요 없다. '시작이 반'이라는 말도 있지 않은가. 한두 번 경험이 늘어나면 조금 가벼워진다.

직장생활도 처음에는 어렵고 적응할 때까지 시간이 걸린다. 조금씩 경력이 쌓이고 더 좋은 곳으로 이직도 경험하면서 넓혀갈 수 있다.

앞에서 사표 이야기를 했듯이 나는 사장님 때문에 한창 마음 고생할 때 이직을 결심했다. 이전에 사표를 썼지만 모두 무시당한 경험이 있어 치밀하게 준비했다. 사표를 받고도 수리해주지 않고 피하고 새 직원을 구해주지 않아 어영부영 계속 다니고 있었다.

사표를 쓰기 전 이직할 회사에 미리 면접본 적이 있다. 그러면 안 되는데 빠져나갈 방법이 없었다. 사장님은 사표를 받아도 무시하고 놀러가 회사에 안 나오면 그만이고 아무 일 없다는 듯 행동하니 나도 최후의 방법을 쓴 것이다.

다행히 면접 본 회사에서 합격 통보가 왔다. 출근할 날짜도 정해졌다. 더 이상 사장님이 피하지 않고 사표를 수리해줄 수밖에 없을 것이라고 생각하고 다시 사표를 제출했다. 더 확실히 날짜도 말씀드리고 그때까지 정리해달라고 했다. 역시 사장님은 표정이 굳었고 사무실을 나가더니 그 날 들어오지 않았다.

다음 날 사장님은 다른 방법으로 퇴사를 막았다. 아예 대놓고 무시하기로 한 것이다.

"조 대리, 그런 회사에 가면 못 버텨. 여기니까 편하게 있는 거야. 여기 있다가 시집이나 가. 돈 몇 푼 더 준다고 다른 회사로 가려는 것 같은데 엄청 고생만 하다가 금방 그만둘 걸?"

나의 목표는 퇴사인 때여서 참고 차분히 말씀드렸다.

"돈 때문에 가려는 건 아니에요. 사표를 벌써 몇 번이나 썼는데 사장님께서 한 번도 처리해주지 않으셨잖아요. 시간은 자꾸 흐르는데 억지로 이곳에 남아 있는 것이 더 힘들어요."

연봉도 더 높고 근무 조건도 좋은 것은 사실이지만 그것이 전부는 아니었다. 매일 술에 빠져 살고 직원들의 말은 전혀 들어주지 않던 사장님과 함께 일하는 것이 고통스러웠다. 술 먹고 놀러 다니는 것은 사장님인데 일에 대한 모든 책임은 항상 직원들에게 떠넘기고 책임감을 가지라고 큰소리치는 태도에 지칠 대로 지쳐 있었다.

이번에는 사표 수리가 잘 되어 당연히 퇴사하게 될 거라고 믿었다. 다른 회사에 출근할 날짜도 정해졌는데 설마 또 피하고 정리를 안 해주진 못 할 거라고 생각했다.

하지만 역시 사장님은 또 한 번 나의 예상을 깨고 버티기 작전에 돌입했다. 아무 일 없었다는 듯 갑자기 회사 일에 관심을 갖고 일 얘기로 압박하기 시작했다. 평소 거들떠보지도 않아 모르던 서류도 꼬치꼬치 캐묻고 내 입에서 다른 말이 나오지 못하게 무언의 압력으로 막고 있었다. 업무량은 엄청나게 쌓여갔다. 사장님은 갑자기 새로운 기획으로 일을 더 늘렸다. 회사에 있는 동안 숨 돌릴 틈 없이 일해야 했다. '이러고도 퇴사할 수 있을 것 같아? 절대로 그냥은 못 보내지.' 귓가에 환청이 들렸다.

이직을 결정한 회사에 첫 출근하기로 한 날이 하루 앞으로 다가왔지만 사장님은 끝내 사표수리를 하지 않았다. 내 의견과 상관없이 자신이 했던 말로 대화가 끝났다고 생각했다. 전전긍긍하다가 새로 출근하기로 한 회사에 전화했다. 사정이 생겨 출근을 못하게 됐다고 죄송하다는 인사를 하고 끊었다.

사장님은 한마디 다른 말씀도 없이 평소와 똑같았다. 정말 불통도 그런 불통이 없었다.

그 뒤로 회사생활이 힘들 때마다 두고두고 후회하며 보냈다. 사표수리 안 해주고 4대보험 정리가 안 되도 박차고 나갔어야 했다는 생각이 들었다. 무엇이든 마무리는 깔끔하고 싶어 내가 내린 결정이지만 자꾸 생각나는 것은 어쩔 수 없었다.

그때 더 적극적으로 행동해 퇴사했더라면 나중에 사장님 아들을 볼 일도 없었을 것이다. 그랬다면 그런 괴롭힘을 당할 일도 없었다. 금수저에게 밀려 억울하게 해고당하지도 않았을 것이다.

해고당할 때도 사장님은 대화가 통하지 않았다. 그동안 그렇게 힘들어 했으니 쉬라고 했다. 그때서야.

결국 내가 선택한 일이고 겪은 일이다. 그만두고 싶을 때 그만두지 못했고 그런 시간들을 겪고 나니 해고당했다. 누가 들어도 억울한 일이지만 내가 주체적으로 끝까지 밀고 나갔어야 했다. 나를 막은 것은 나 자신이었다. 사장님 탓이라고 원망했지만 나의 문제를 남 탓할 필요가 없었다. 모든 일의 시작은 내가 했으니 그 문제를 해결할 사람도 나였다.

사장님의 무시하는 말에 의기소침해져 나를 과소평가하고 자신감을 상실했다. 신경 쓸 필요 없는 말이었다. 정신을 더 바짝 차렸어야 했다.

기회를 놓친 것도 나이고 나의 변화를 가로막은 가장 큰 적도 나였다. 마음 한편에는 이미 익숙해진 환경에 안주하려는 마음도 조금 있었던 것 같다. 현재의 환경이 싫지만 그렇다고 새로운 환경에 적응하고 싶지도 않았다. 단지 벗어나고 싶어 내린 선택이었다.

사람들은 남의 일은 매우 쉽게 말한다. 사장님도 나를 해고시킬 때 내가 힘들어하니 보내주는 거라고 당당했다. 역시 내 인생을 아무도 책임져주지 않는다는 것을 확실히 느꼈다.

그래서 퇴사 후 나는 '싫어도 좀 참으면 좋은 날이 오겠지', '하고 싶은 것을 지금 못해도 나중에 할 수 있겠지'라는 미련한 생각을 버렸다. 스스로 마음의 감옥에서 나오지 않으면 악순환이 반복될 것 같았다.

성공의 가장 큰 걸림돌도 나 자신이다. 지금 당장 할 수 없는 일을 두고 고민만 하다가 스스로 한계를 긋는 경우가 많다. 할 수 있는 작은 것부터 하다보면 얼마든지 한계를 뛰어넘을 수 있는데 당장 눈앞의 결과로만 판단하고 한계를 만든다. 무엇이든 일단 시작하고 내가 결정한 길에 집중해 노력하면 어느 순간 분명히 한계를 넘어설 것이다. 그 과정을 즐길 수 있다면 더 좋다.

물론 불안하지만 나를 가로막은 것도 나였듯이 나를 응원해주는 사람도 내가 되어야 한다. 지금은 나와 나의 선택을 내가 항상 응원하며 지내고 있다. 무슨 일을 하든 수십 번 나 자신에게 말한다. 절대로 너를 가로막지 말라고.

자신의 한계를 시험하려면 한계로 몰아야 한다는 말이 있다. 한계를 알아야 자신의 능력도 키울 수 있기 때문이다. 또 사람의 능력에는 한계가 없다고 말한다. 도전해보지 않았을 뿐이라고 한다. 나의 근본적인 지식과 경험으로 내가 좋아하고 관심 있는 분야로 조금씩 움직여보자. 당연히 하루아침에 되는 일은 없다. 새로운 것을 배우고 익히는 데는 어려움이 따른다. 어느 분야든 매일매일 꾸준함이 최선이다.

처음부터 겁먹지 말자.
막상 가보면 아무 것도 아닌 것이 세상에는 매우 많다.
첫 걸음을 떼기 전에는 앞으로 나갈 수 없고
뛰기 전에는 이길 수 없다.
너무 많이 뒤돌아보는 자는 크게 이루지 못한다. _**요한 폰 쉴러**

생각을 많이 할수록 어렵고 힘들겠다는 생각이 들고 그러다보면 핑계를 찾게 된다. 내가 알고 있는 세계 안에서 나의 미래를 결정하고 단정 짓지 말자.

이제 깨달았다면 한계를 극복해야 한다. 편견에 사로잡혀 나의 한계를 스스로 정하고 싶진 않다. 나를 얽매는 수많은 고정관념을 버리고 나만의 인생을 디자인하자.

7. 우리는 모두 주인공이다

나는 한창 벚꽃이 피는 4월에 태어났다. 벚꽃 출생이라고도 한다는데 그래서인지 벚꽃을 매우 좋아한다. 벚꽃축제 때문에 내 생일은 아무 일정이 없어도 그 자체가 축제다. 분홍빛 벚꽃이 풍성히 피어 있고 하늘은 맑고 화창하다. 거기에 살랑살랑 봄바람이 불면 꽃잎이 떨어지는데 그 아래 서 있으면 누구나 주인공이 된다.

거리를 걷다보면 미소 지은 사람을 찾아보기 힘들다. 대부분 표정이 없거나 인상을 잔뜩 쓴 경우가 많다. 우리나라 사람들은 자신의 인생에서 자신이 중심이기보다 주변 사람의 이목에 더 신경 쓴다.

우리 마음속에는 끊임없이 수많은 생각들이 떠오르고 사라진다. 이

수많은 생각들은 대부분 내가 아닌 타인과 관련된 생각이거나 오랫동안 누군가로부터 주입된 생각인 경우가 많다.

남의 불행이 나의 행복인 것처럼 끊임없이 경쟁하며 살아간다. 무한 경쟁과 비교 속에서 내가 행복해질 방법은 한 가지라도 남보다 나은 점을 찾는 것이다. 하지만 모든 것은 상대적일 뿐이다. 다른 사람보다 돈이 없고 키가 작고 부족한 면이 있다고 살아갈 가치가 없는 것은 아니다.

우리는 각자 자신의 인생에서 모두 주인공이다. 나는 유일한 나여서 멋지고 매력 있다. 나라는 존재는 대량생산으로 일괄 조립된 상품이 아니다. 내 인생은 내가 마음먹은 대로 살 수 있다. 중요한 것은 아무도 나를 대체할 수 없고 아무도 나의 가치를 함부로 떨어뜨릴 수 없다. 나도 다른 사람의 가치를 함부로 떨어뜨리면 안 된다.

있는 그대로의 나의 모습, 사회 기준에 맞춰진 모습이 아니더라도 개개인이 가진 매력은 충분히 아름답다. 겉으로 아무렇지 않아 보여도 사연 없는 사람 없고 상처 없는 사람 없다. 편하기만 한 삶도 없다. 사람들은 모두 자신만의 이야기가 있다. 스치듯 일찍 죽는 엑스트라에게도 자신만의 이야기와 죽음을 슬퍼할 사람이 있다.

자신이 하고 싶은 일이 직업인 사람이 많지 않지만 자신의 직업을 자랑스럽게 생각했으면 좋겠다. 당장 내가 원하는 일이 아니고 돈도 많이 못 벌고 남들에게 무시 받는 일이더라도 자신의 삶에 자부심을 갖자. 우리 사회구성원들이 있기 때문에 세상이 돌아가는 거니까.

공사판에서 막노동하고 쓰레기 수거하고 짐을 배달하고 청소하는 분들이 사회를 지탱하고 있다. 우리에게 절대로 없으면 안 될 분들이다. 가치가 없는 직업은 하나도 없다.

우리는 내 인생이라는 드라마에서 모두 주인공인 동시에 다른 드라마의 조연이 되기도 한다. 막장 드라마 속 이야기도 흔하다. 우리들의 이야기와 별로 다르지 않다. 단, 다른 드라마에서 주연을 하면 안 된다. 지금 내가 누리는 안정이 반드시 나의 능력과 노력 때문이라고 착각할 수도 있다. 하지만 운이 좋았거나 누군가의 조연 덕분일 수도 있다.

지금까지 살면서 특히 회사에서만큼은 내 자신이 매우 작은 조연에 불과하다고 생각했다. 내가 없으면 회사가 돌아가지 않을 거라는 거만한 생각과 '나 하나쯤 없어도 티 안 나겠지'라는 생각이 공존했다. 대부분 회사는 조연이나 단역으로 살아가는 법을 배우는 곳이 된다.

모든 사람이 주연이 될 수 없을 때 누군가는 조연과 단역을 맡아야 한다. 어느 정도 위치의 사람이 능력과 조건을 갖추지 못했는데 주연을 욕심내고 안하무인으로 행동하면 '갑질'이 될 수도 있다. 조직에서의 주연과 조연은 모두 쓸모 있는 사람이다. 일에만 파묻혀 엑스트라로 살아가지 않길 바란다.

회사에서는 주연보다 조연이 더 행복한 것 같기도 하다. 누군가의 도움을 받을 때보다 돕고 있을 때가 더 편하기 때문이다. 주인공보다 더 자유롭고 다양하다. 심적 부담도 덜하다.

드라마나 영화 속 배우들을 보면 처음부터 주연으로 데뷔하는 사람이 있다. 여러 가지 행운이 따랐을 것이다. 반면, 오랫동안 조연에 머물다가 뒤늦게 주연배우가 된 사람도 있다. 대부분 그런 배우는 무명시절 고생을 많이 했다. 또 조연으로 확실히 자리잡고 감초연기의 대가로 불리는 사람도 있다.

인생도 마찬가지다. 좋은 집안에서 태어나 자라고 처음부터 항상 주목받는 주연배우 같은 사람이 있다. 반면, 어려운 집안에서 태어나 자수성가해 뒤늦게 성공한 사람들도 있다. 아마도 우리 대부분은 조연을 거쳐 나를 발전시킨 후 주연 자리에 오르는 사람이 될 것이다.

이때 뭔가를 하려고 할 때마다 참견하는 구경꾼들이 있다.

"야, 그거 했다가 실패하면 어쩌려고."

"네 나이가 몇인데, 미쳤어?"

"그런 건 아무나 하는 줄 알아?"

모든 사람의 이야기를 귀담아 들을 필요는 없다. 특히 구경꾼들의 말은 더 그렇다.

나는 마지막 직장을 그만둔 후 다시 직장생활 하는 데 약간의 두려움이 있었다. 사회의 냉정함을 제대로 느꼈다.

오랜 생각 끝에 더 이상 기계처럼 살고 싶지 않았다. 남의 인생에 조금이라도 도움을 주는 삶을 살고 싶었다. 당시도 내 주변의 구경꾼들은 기다렸다는 듯 입을 열었다.

"그게 돈이 될까? 굶어죽으면 어쩌려고?"

"그런 건 특별한 사람만 하는 거지, 우리처럼 평범한 사람들은 안 돼."

"나 혼자 먹고 살기도 바쁜데 남의 인생까지 신경 써?"

"그렇게 해주면 남들이 고마워할 줄 알아?"

구경꾼의 말은 진정으로 나를 생각해 오랜 고민 끝에 해주는 진지한 얘기가 아니다. 구경꾼들이 던지는 말에 결심이 흔들리면 안 된다. 그들은 나만큼 고민하지 않았고 직접 겪어보지도 않았다. 이성적으로 보지 못하고 자신들의 실패 경험담을 감정적으로 내뱉는 경우도 많다. 자신들이 못하는 것을 도전하는 데 대한 질투와 시기일 수도 있다. 자신들과 똑같이 살기를 바라는 마음이다. 그들이 설계해주는 인생을 살 필요는 없다. 학창시절 시험문제처럼 인생에 정답이 있는 것도 아니다.

새로운 길에 대해 이야기하는 나를 주변에서 이상하게 보면 자신감을 잃게 된다. 그러지 않으려고 노력해도 인간은 연약한 존재여서 수없이 흔들린다. 그럼 다시 타인을 위한 삶의 미로에 갇히게 되고 타인의 결정과 허락을 기다리는 삶에 빠질 수 있다. 외적요소에 흔들리지 말자.

앤드류 카네기는 '당신은 바로 자기 자신의 창조자'라고 했다. 스스로 더 많이 관찰하고 느끼고 자기 것으로 만들어야 한다. 새로운 기회를 찾고 그 안에서 만족을 느껴야 한다. 생각하는 대로 이루어진다는 말처럼 내 인생의 주인공이 되어 삶을 더 가치 있게 만들어보자.

어떤 방법으로 어느 길을 걸어갈지 스스로 정하면 된다. 연출도 작가도 주인공도 모두 '나'인, 나의 인생 드라마다.

당신은 당신 삶의 주인공이어야 합니다.
그 주인공을 아무도 대신해줄 수 없습니다.
무대는 이 우주이고 출연자는 우주의 모든 사람이고
그 중 당신이 유일한 주인공입니다. **_스티브 잡스**

주인공에게는 그만큼 책임이 따른다. 내 삶의 주인으로서 책임을 다할 때 진정한 주인으로 살아갈 수 있다. 나는 예쁜 사람이기보다 미소와 행동이 아름다운 사람, 물질보다 마음이 여유로운 사람, 똑똑하기보다 지혜로운 사람으로 주인공이 되고 싶다.

지금 이 순간 내 인생 드라마의 주인공으로 최선을 다하자.

내일 하루는 어떤 에피소드가 생길지 모르지만 해피 엔딩을 꿈꾸며 흥미롭게 써내려가자.

우리는 각자 주연답게 최선을 다하고 드라마가 끝날 때 사라진다. 다른 주연들에게 좋은 영향을 미치는 멋진 주연배우가 되자.

글쓰기에는 치유의 힘이 있다고 한다. 이번 경험을 통해 나도 느낄 수 있었다. 감정을 털어놓으니 마음이 깨끗해지고 복잡했던 것들이 정리되기도 했다. 글을 쓰면서 그 어려운 직장생활을 나름대로 잘해왔다는 뿌듯함이 생겼다. 실수투성이에 마음고생으로 좌절한 날이 더 많았지만 어쨌든 짧지 않은 시간 동안 버텼고 이렇게 글로도 썼으니 잘해왔다고 칭찬해주고 싶다.

직장인들은 매일 쌓이는 엄청난 업무량, 스트레스, 사내 대인관계 때문에 마음고생하며 그만두고 싶은 순간을 수백 번 참아내고 현재의 자리를 유지하고 있다. 그렇게 버티는 것도 능력이다.

앞의 들어가는 글에서도 썼듯이 나는 퇴사를 독려하지 않는다. 회사를 그만두는 것이 정답은 아니다. 회사라는 울타리를 벗어나는 것도 어렵지만 온전히 홀로 서는 데는 많은 시간과 노력이 필요하다.

내 인생의 일부분인 직장생활을 글로 정리하니 앞길이 좀 더 잘 보이는 것 같다. 내가 쓴 글은 전문적인 글이 아니다. 나의 직장생활 경험의

민낯을 드러낸 것 같아 부끄럽기도 하다. 많이 서툴고 많이 아팠고 힘들고 외로웠다. 나처럼 얘기를 터놓을 수 있는 사람이 없어 혼자 끙끙대는 직장인들과 마음을 나누고 싶었다.

직장생활 때문에 힘들어하는 후배들에게는 네 탓이 아니라고 말해주고 싶다. 무엇을 잘못해 힘든 것이 아니라 서글프게도 어쩔 수 없이 그 과정을 겪어야 하는 것이 직장생활이다. 나도 그랬고 내 선배들도 그랬고 앞으로도 그럴 것이다. 그러니 자책하지 않았으면 좋겠다.

시간이 필요하다. 신입사원에게는 회사에 적응하고 인재로 발전하기까지의 시간, 경력이 쌓인 직장인에게는 자신을 되돌아볼 시간, 회사를 나온 사람에게는 새로운 세상에서 길을 찾아갈 시간이 필요하다.

회사에 소속되어 월급 받는 생활만큼 안정적으로 더 좋은 것은 없다. 경력을 쌓는 좋은 기회이기도 하다. 그 경험은 반드시 필요하다고 생각한다. 그것이 밑바탕이 되어 훗날 무엇을 하든 버티는 힘이 되어준다. 돈 주고도 못 배울 많은 것들을 돈을 받으며 배울 수 있다고 생각하고 많이 배워 전문적인 능력을 키웠으면 좋겠다.

돈을 벌 수 있는 것은 좋다. 행운이지만 생각보다 많은 것을 가져간다. 나 자신과 시간이 대표적이다.

세상에서 가장 소중한 사람은 나 자신이다. 무엇보다 중요하다. 나 자신을 돌보고 사랑해야만 직장생활도 잘 할 수 있다. 바쁘고 지치더라도 자신에게 관심을 갖고 '나는 누구인가'라는 질문을 게을리 하지 않았으면 좋겠다.

나처럼 힘없고 자신감 없던 일개 평범한 직장인도 정글 같은 사회생활을 견뎠다. 말도 안 되는 사장님의 억지 때문에 속 터질 것 같았고 갑자기 나타난 사장님의 아들 때문에 해고당했다. 그래도 지금 그런대로 잘 살고 있다. '저런 일을 당한 사람도 버텼고 잘 사는데.'라고 생각하고 용기를 가졌으면 좋겠다.

퇴사 후 책 읽을 시간이 많아졌다. 심리학 서적들을 읽다가 전의 내가 왜 그랬는지 알 수 있었다. 탈모는 단순한 스트레스에서 오는 것이 아니라 마음 속 분노에서 온다는 글을 읽었다. 억압된 분노를 다스리지 못해 생기는 것이다. 그때의 나는 단순한 스트레스를 넘어 사장님과 그 아들에 대한 분노로 하루하루가 고통스러웠다. 분노를 다스리려면 상대방을 용서해야 하는데 작은 사람인 을(乙)이 강하고 큰 사람인 갑(甲)을 용서할 수 있는 방법은 없었다.

퇴사 후 건강은 생각보다 빠른 속도로 회복됐다. 사장님과 그 아들을 보지 않는 것만으로도 충분히 안정됐던 것 같다. 마음의 회복 속도가 조금 더뎠지만 이번 글을 쓰면서 모두 쏟아냈다. 지금은 그런 경험으로 나만의 스토리가 생겨 책을 쓸 수 있었다고 생각한다. 나의 지난날의 일부로 받아들였다.

직장인들도 누구나 책을 쓸 수 있다. 자신의 분야에 대해 경험 그대로 전하는 일은 어렵지 않다. 모든 직장인들이 자신의 이름으로 책 한 권씩 쓰는 날이 왔으면 좋겠다.

직장인은 하루 대부분을 회사에서 보낸다. 매일 반복되는, 특별하지 않은 일상도 우리가 가질 수 있는 행복 중 하나다. 회사가 지옥이라고 느낀다면 너무 많은 시간을 지옥에서 보내게 된다. 자신에 대해 잘 알고 진정으로 중요한 것을 알고 있다면 무슨 일을 하든 즐겁게 할 수 있을 것이다. 우리의 인생은 아직 더 많은 날들이 남아 있다.

오늘도 이 땅에서 고군분투하는 직장인들에게 응원의 박수를 보낸다.

You are the best!